REPÈRES
PRATIQUES
NATHAN

La correspondance

Sylvie Gérard - Philippe Lièvremont - Viviane Ladka

NATHAN

© Éditions Nathan, Paris 1992 - ISBN - 2.09.176040

Mode d'emploi

Le livre présente une structure originale, caractérisée par des doubles pages ; en l'ouvrant, chaque double page (page de gauche et page de droite) est à l'image de ce qui suit

Une page de synthèse : elle apporte les informations essentielles sur la situation abordée.

Une page de modèles et d'éclairages pratiques. Elle précise, elle complète, elle propose un exemple. Les lettres présentées en italiques sont celles qui doivent toujours être manuscrites.

Un repérage en six grandes parties

L'objectif de la page de droite

Un titre (suivi de quelques lignes d'introduction) annonce le sujet de la double page.

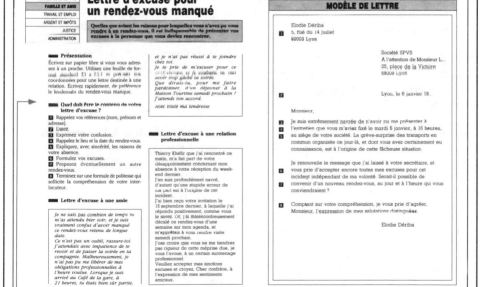

Quelques lignes avec des repères de lecture, pour mieux saisir l'essentiel d'un seul coup d'œil.

Selon le sujet, des formules, des exemples de disposition avec l'emplacement de la signature.

RÈGLES DE LA LETTRE

FAMILLE ET AMIS

TRAVAIL ET EMPLOI

ARGENT ET IMPÔTS

JUSTICE

ADMINISTRATION

La présentation de la lettre

Qu'il soit d'ordre commercial, administratif ou privé, votre courrier doit être lisible et agréable à lire. En respectant les normes de présentation, vous faciliterez la compréhension de vos interlocuteurs.

Le papier

Il vaut mieux utiliser un papier blanc, parce que neutre, non ligné, de dimension 21 × 29,7 cm (format A4). C'est ce que l'on désigne sous l'appellation « format standard ».

La présentation

Une fois les marges repérées, vous pouvez diviser votre feuille, de haut en bas, en deux parties :
— un premier tiers est réservé aux mentions annexes ;
— deux autres tiers sont destinés au corps de la lettre, à la signature et éventuellement au post-scriptum.

Les mentions annexes

☐ Sur la partie gauche de la lettre, et de haut en bas, inscrivez tout d'abord vos références : nom, prénom, adresse, téléphone.

Indiquez ensuite si votre lettre est envoyée en recommandé sous cette forme : « Lettre recommandée avec accusé de réception ». Enfin, vous préciserez la plupart du temps l'objet de la lettre. Ainsi, le destinataire saura tout de suite de quoi il s'agit.

☐ Sur la partie droite de la lettre et de haut en bas, notez tout d'abord la désignation et l'adresse du destinataire, puis le lieu d'origine et la date de la lettre (attention : ne mettez pas de majuscule au mois).

☐ Le corps de la lettre : commencez toujours par une formule d'appel : « Monsieur » ou « Madame », suivi éventuellement du titre qui convient comme « Monsieur le Directeur ». Sautez l'équivalent d'une ligne avant de commencer votre développement.

Présentation à la française

```
Michel Garel
19, rue Verte
750003 Paris
                              Monsieur Quermadec
                              20, rue de Nemours
                              35100 Rennes

                              Paris, le 4 mai 19..


  Cher ami,

     Vous me feriez un grand honneur, puisque vous êtes
  dans notre région, en venant dîner vendredi prochain.

     François Chassin, dont je vous ai parlé, se joindrait à
  nous.

     Dans l'attente de votre réponse, je vous prie
  d'accepter, Cher ami, l'assurance de mes sentiments les
  meilleurs.

                              Michel Garel
```

Présentation à l'américaine

```
M. et Mme Francis Krawsick
18, rue Paillole
91400 ORSAY

Lettre recommandée    Agence Rivage
avec Accusé Réception  Le Bosquet
                       85100 Les Sables-d'Olonne

                       Orsay, le 20 juin 19..


Monsieur,

Le 20 février nous vous avons réservé la villa
« Marmousa », aux Sables-d'Olonne, pour le mois
d'août prochain.
Ma femme vient d'avoir un grave accident de
santé et nous serons dans l'impossibilité de nous
déplacer. Nous sommes donc au regret d'annuler
cette location.

Nous vous avions versé 500 F d'arrhes. Serait-il
possible de reporter ces arrhes sur une location
en octobre prochain ? Location que je vous
confirmerai dès que possible.

Espérant votre compréhension, recevez, Monsieur,
l'assurance de mes meilleurs sentiments.

                       Francis Krawsick
```

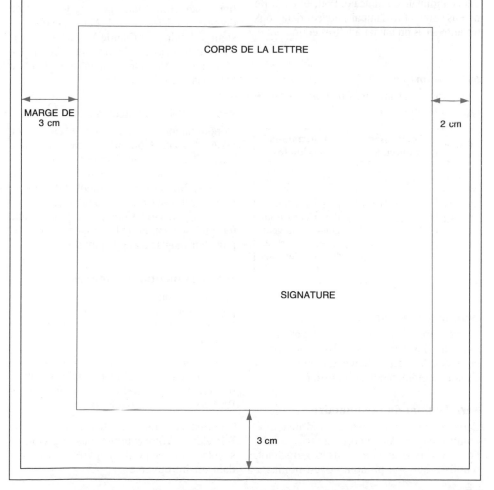

PRÉNOM NOM
ADRESSE
TÉLÉPHONE   COORDONNÉES DU DESTINATAIRE

MENTIONS PARTICULIÈRES   LIEU ET DATE

OBJET DE LA LETTRE

CORPS DE LA LETTRE

MARGE DE
3 cm   2 cm

SIGNATURE

3 cm

RÈGLES DE LA LETTRE

FAMILLE ET AMIS

TRAVAIL ET EMPLOI

ARGENT ET IMPÔTS

JUSTICE

ADMINISTRATION

La présentation de l'enveloppe

Quelle couleur, quel format utiliser ? Comment disposer l'adresse du destinataire ? Peut-on se dispenser des normes de présentation ? Ces problèmes peuvent paraître secondaires ; ils facilitent pourtant l'acheminement de votre courrier.

■■■ Le papier de l'enveloppe

Utilisez la même couleur pour le papier à lettres et l'enveloppe. C'est une preuve de correction. Des papiers à lettres illustrés, assortis de leurs enveloppes, existent sur le marché. Il vaut mieux les réserver à votre correspondance familiale ou amicale. Pour être sûr de ne pas commettre d'impair, utilisez dans tous les autres cas du papier à lettres et une enveloppe blancs.

■■■ Le format

L'enveloppe est aujourd'hui normalisée de façon internationale.

Poids	Dimensions minimales	Dimensions maximales
moins de 20 g	14 × 9 cm	23,5 × 12 cm
de 20 g à 5 kg	14 × 9 cm	Le total des trois dimensions (longueur + largeur + épaisseur) ne doit pas dépasser 100 cm.

■■■ La présentation

Écrivez très lisiblement ou tapez à la machine. Soyez très précis. Trop souvent, la poste doit faire des recherches, d'où un retard dans l'acheminement du courrier.

■■■ Le nom du destinataire

Écrivez en toutes lettres « Monsieur », « Madame » ou « Mademoiselle » (si vos relations avec le destinataire vous le permettent, n'utilisez que son prénom et son nom).

□ S'il s'agit d'une entreprise, inscrivez la raison sociale de la société, suivie éventuellement de l'intitulé du service ou du nom de la personne que vous voulez contacter (exemple : « Société Lanoé, Service du personnel »).

□ Si votre correspondant habite chez une tierce personne, vous pouvez le noter de diverses manières : Claude Martin, chez Monsieur Valentin ; ou Claude Martin, aux bons soins de Monsieur Valentin ; ou enfin Claude Martin c/o Monsieur Valentin (c/o étant l'abréviation de *care of*).

■■■ Adresse du destinataire

Dénomination du lieu, s'il y en a une (exemple : Villa Montjoie). Numéro de l'habitation et nom complet de la rue, du boulevard, de la place, etc. (exemple : 5, rue des Martyrs). Numéros du bâtiment et de l'appartement s'il s'agit d'un immeuble (exemple : Bât. D, Appt. 161). Code postal puis localité (en majuscules). Pour l'étranger, précisez le pays (en majuscules également).

■■■ Les mentions annexes

□ Pour les lettres grand format, collez un papillon mentionnant qu'il s'agit d'une lettre. (On se procure ces papillons dans les bureaux de poste).

□ Pour envoyer une lettre par la poste aérienne, il n'est pas indispensable d'utiliser une enveloppe spéciale. Il suffit de préciser PAR AVION sur l'enveloppe.

□ Portez vos nom et adresse au recto de l'enveloppe. Votre courrier vous sera retourné si votre lettre se perd ou si votre correspondant est introuvable.

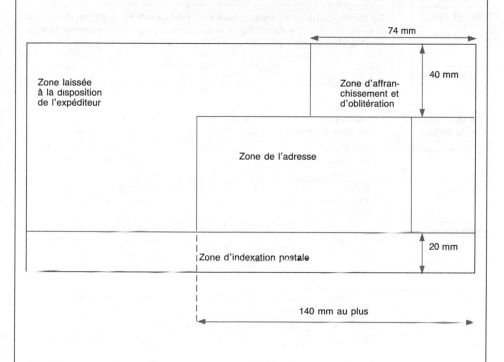

Zone laissée
à la disposition
de l'expéditeur

Zone d'affran-
chissement et
d'oblitération

74 mm

40 mm

Zone de l'adresse

Zone d'indexation postale

20 mm

140 mm au plus

Monsieur Claude Martin
158, rue d'Amsterdam
75009 PARIS

RÈGLES DE LA LETTRE

FAMILLE ET AMIS

TRAVAIL ET EMPLOI

ARGENT ET IMPÔTS

JUSTICE

ADMINISTRATION

La formule d'appel

La façon dont vous saluez votre correspondant, en tête de la lettre, et la manière de rédiger son adresse, sur l'enveloppe, obéissent à des règles précises, qu'il est important de respecter.

Le destinataire de la lettre	On écrit en tête de lettre	On écrit dans la lettre	On écrit sur l'enveloppe
Notaire, huissier	Maître ou Monsieur Madame	Vous (2e pers.)	Monsieur ou Madame X... Notaire ou Huissier
Avocat	Maître ou Monsieur Madame	Vous (2e pers.)	Maître X... Avocat à la Cour
Médecin	Docteur ou Monsieur Madame	Vous (2e pers.)	Docteur X... Monsieur (ou Madame) le Docteur X...
Curé	Monsieur le Curé ou Monsieur l'Abbé	Vous (2e pers.)	Monsieur l'Abbé X... Curé de ...
Pasteur	Monsieur le Pasteur Madame le Pasteur	Vous (2e pers.)	Monsieur ou Madame X... Pasteur de...
Rabbin	Monsieur le Rabbin	Vous (2e pers.)	Monsieur le Rabbin X...
Imam	Monsieur l'Imam	Vous (2e pers.)	Monsieur l'Imam X... Imam de...
Général	Mon Général (de la part d'un homme) Général (de la part d'une femme)	Vous (2e pers.)	Le Général X... Monsieur le Général X...
Colonel, lieutenant-colonel	Mon Colonel (de la part d'un homme) Colonel ou Monsieur (de la part d'une femme)	Vous (2e pers.)	Monsieur le Colonel X...
Commandant	Mon Commandant (de la part d'un homme) Monsieur (de la part d'une femme)	Vous (2e pers.)	Monsieur le Commandant X...
Capitaine	Mon Capitaine ou Monsieur (de la part d'un homme) Monsieur (de la part d'une femme)	Vous (2e pers.)	Le Capitaine X...
Amiral, vice-amiral	Amiral ou Monsieur l'Amiral	Vous (2e pers.)	Monsieur l'Amiral X...
Capitaine de vaisseau, de frégate ou de corvette	Monsieur	Vous (2e pers.)	Monsieur le Capitaine de vaisseau X... (de frégate ou de corvette)

PERSONNAGES DE L'ÉTAT

Le destinataire de la lettre	On écrit en tête de lettre	On écrit dans la lettre	On écrit sur l'enveloppe
Chef d'État	Monsieur le Président Madame la Présidente	Vous (2e pers.)	Monsieur le Président de la République Madame la Présidente de la République
Secrétaire général de la présidence de la République	Monsieur le Secrétaire général	Vous (2e pers.)	Monsieur le Secrétaire général de la présidence de la République
Premier ministre	Monsieur le Premier Ministre Madame le Premier Ministre	Vous (2e pers.)	Monsieur le Premier Ministre Madame le Premier Ministre
Ministre	Monsieur le Ministre Madame le Ministre	Vous (2e pers.)	Monsieur X... Ministre de... Madame X... Ministre de...
Ministre de la Justice	Monsieur le Garde des Sceaux ou Monsieur le Ministre	Vous (2e pers.)	Monsieur X... Garde des Sceaux ou Ministre de la Justice
Président de l'Assemblée nationale	Monsieur le Président	Vous (2e pers.)	Monsieur le Président de l'Assemblée nationale ou Monsieur X... Président de l'Assemblée nationale
Député	Monsieur le Député Madame le Député	Vous (2e pers.)	Monsieur X... ou Madame X... Député de ...
Président du Sénat	Monsieur le Président	Vous (2e pers.)	Monsieur le Président du Sénat ou Monsieur X... Président du Sénat
Sénateur	Monsieur le Sénateur Madame le Sénateur	Vous (2e pers.)	Monsieur X... ou Madame X... Sénateur de ...
Ambassadeur	Excellence ou Monsieur l'Ambassadeur Madame l'Ambassadeur (à la femme d'un ambassadeur)	Vous (2e pers.)	Son Excellence Monsieur l'Ambassadeur de... Son Excellence Madame X... Ambassadeur de France en ...
Préfet	Monsieur le Préfet ou Monsieur le Commissaire de la République	Vous (2e pers.)	Monsieur X... Préfet de... ou Monsieur le Commissaire de la République
Maire	Monsieur le Maire Madame le Maire	Vous (2e pers.)	Monsieur le Maire de X... ou Madame X... Maire de...
Recteur d'université	Monsieur le Recteur Madame le Recteur	Vous (2e pers.)	Monsieur (ou Madame) X... Recteur de l'Université de ...
Proviseur	Monsieur le Proviseur Madame le Proviseur	Vous (2e pers.)	Monsieur (ou Madame) le Proviseur du lycée...
Principal	Monsieur le Principal Madame le Principal	Vous (2e pers.)	Monsieur (ou Madame) le Principal du collège...

RÈGLES DE LA LETTRE
FAMILLE ET AMIS
TRAVAIL ET EMPLOI
ARGENT ET IMPÔTS
JUSTICE
ADMINISTRATION

La formule de politesse

La formule de politesse est de mise dans la plupart des courriers, administratifs, commerciaux ou privés. Elle sert à prendre congé poliment du correspondant. C'est la dernière phrase que lira le destinataire, il ne faut donc pas la négliger.

▄▄ Présentation

Allez à la ligne pour écrire la formule. Rappelez les termes employés dans la formule d'appel, entre deux virgules et avec une majuscule : « Monsieur le Directeur », « Madame », « Cher ami », ...

▄▄ Le contenu de la formule de politesse

Le contenu de la formule de politesse varie en fonction de plusieurs éléments.

☐ La relation entre expéditeur et destinataire :
— entre amis : « Reçois, Cher ami, mes cordiales salutations » ;
— entre parents : « Recevez, Chers grands-parents, mes affectueuses pensées » ;
— un employé à son supérieur hiérarchique : « Veuillez agréer, Monsieur le Chef de Service, l'expression de mes sentiments dévoués » ;
— un particulier à un service administratif : « Agréez, Messieurs, l'expression de mes meilleurs sentiments » ;
— un homme à une femme : « Veuillez accepter, Madame, l'expression de mes respectueux hommages » ;
— une femme à un homme : « Veuillez agréer, Monsieur, l'expression de mes salutations distinguées ».

☐ Le type de lettre :
— lettre de demande : « Dans l'attente d'une réponse favorable, je vous prie d'agréer, Monsieur, l'expression de mes sincères sentiments » ;
— lettre de remerciements : « Recevez, Monsieur, l'assurance de mes sentiments reconnaissants » ;
— lettre de réclamation : « Recevez, Messieurs, l'expression de notre vive déception » ;

— lettre de condoléances : « Veuillez croire, Cher Monsieur, à l'expression de notre profonde sympathie ».

☐ Le ton de la lettre :
— familier : « Bien sincèrement. » « Cordiales salutations. » « Sincères amitiés. » « Amicalement. » « Bien à vous. » « Toutes nos amitiés. » « Je t'embrasse. » ;
— sentimental : « Affectueuses pensées. » « Avec toute ma tendresse. » « Fidèlement à toi » ;
— impersonnel (courrier administratif, commercial...) : « Recevez, Monsieur, mes sincères salutations. » « Croyez, Messieurs, à mes meilleurs sentiments. » « Veuillez recevoir, Monsieur, l'assurance de mes sentiments distingués. ».

▄▄ Fautes à éviter

En général, « expression » marque la déférence : « assurance » ne s'emploie pas d'inférieur à supérieur.
De même, préférez les verbes « agréer » ou « accepter » lorsque vous voulez marquer votre déférence.
N'écrivez pas : « Dans l'attente de votre réponse, veuillez agréer... » (cette formulation fait intervenir deux sujets dans la phrase), mais : « Dans l'attente de votre réponse, je vous prie... ».
« Veuillez croire en mes meilleurs sentiments » (« croire en » est une formule de confiance totale surtout utilisée en religion). Écrire plutôt « croire à ».

10

LA CONSTRUCTION DE LA FORMULE

Daignez agréer, Je vous prie d'agréer, Je vous prie d'accepter, Veuillez agréer, Veuillez accepter, Agréez, Acceptez,	Je vous prie de croire, Veuillez croire, Croyez,	Je vous prie de recevoir, Veuillez recevoir, Recevez, Reçois,

Madame, Monsieur, Messieurs, Maître, Docteur, Monsieur le Directeur, Monsieur le Maire, Monsieur le Député, Monsieur le Curé, Mon Commandant, Cher Monsieur, Cher ami, ...

l'expression de ma plus respectueuse considération. l'expression de mon profond respect. l'expression de mes sentiments les meilleurs. l'expression de ma respectueuse sympathie. l'expression de mon sincère dévouement. l'expression de mes meilleurs vœux. l'expression de mes profonds regrets. l'expression de ma profonde gratitude. l'expression de mes sentiments distingués. l'expression de mes sentiments les plus amicaux.	à l'expression de mes sentiments les plus respectueux. à tous mes sentiments de respectueuse gratitude. à l'expression de mes sentiments amicaux. à mes meilleurs sentiments. à mon amical souvenir. à l'expression de ma respectueuse sympathie. à l'assurance de mes sentiments dévoués. à mes respectueux hommages (seulement à une femme). à mes plus fidèles pensées (seulement à une femme).	l'assurance de mes sentiments les meilleurs. l'assurance de mes sentiments distingués. l'assurance de mes sentiments dévoués. l'assurance de ma considération distinguée. l'assurance de ma parfaite considération. l'assurance de ma cordiale sympathic. mes sincères salutations. mes sincères amitiés. mes salutations amicales. mes salutations confraternelles.

RÈGLES DE LA LETTRE

FAMILLE ET AMIS

TRAVAIL ET EMPLOI

ARGENT ET IMPÔTS

JUSTICE

ADMINISTRATION

Lettre d'invitation

Un repas entre amis, une réunion familiale ne demandent pas une invitation écrite. Par contre, le fait d'inviter des personnes moins proches à un baptême, à des fiançailles, à un mariage ou à un week-end à la campagne nécessite l'envoi d'un écrit.

▰▰ À qui envoyer vos invitations ?

C'est vous qui faites votre choix : évitez, si possible, d'inviter des personnes qui ne s'entendent pas entre elles. Pour un mariage, un baptême, une communion, c'est la mère qui invite les convives à la réception qui suit la cérémonie.

▰▰ Quand envoyer vos invitations ?

☐ 3 semaines à l'avance pour une invitation mondaine.

☐ 8 à 10 jours pour une réception entre intimes.

▰▰ Quel doit être le contenu de votre invitation ?

☐ Pour un carton imprimé, renseignez-vous auprès de l'imprimeur. Il dispose d'un certain nombre de formules et d'une solide habitude.

☐ Pour une carte de visite, sous votre nom, utilisez une formule brève et simple du genre : « prient M. et Mme Fruttet de leur faire l'honneur de venir dîner chez eux, le samedi 21 février à 20 heures ». En bas et à droite de la carte, inscrivez en lettres majuscules : « R.S.V.P. », qui signifie « réponse s'il vous plaît ».

☐ Pour une lettre. Vous enverrez une lettre à un intime, ou à une personne susceptible de le devenir.

1 Exprimez éventuellement l'objet qui vous amène à lancer cette invitation (cela peut être à l'occasion d'un anniversaire, d'une réussite à un examen, d'une promotion profes-sionnelle).
Exemple : « Pour fêter la réussite de Jean à son baccalauréat,... »

2 Précisez de quel type d'invitation il s'agit (déjeuner, dîner, cocktail, week-end ou séjour prolongé).
Exemple : « Vous êtes cordialement invité au dîner... ».

3 N'oubliez pas la date et l'heure du rendez-vous.

4 Vous pouvez aussi préciser la venue d'une ou plusieurs autres personnes conviées.
Exemple : « Michel et Francis m'ont promis d'être des nôtres. »

5 Terminez votre lettre en exprimant le sou-hait d'une réponse positive à l'invitation.
Exemple : « Je compte beaucoup sur votre présence. Donnez-moi vite votre réponse ».

▰▰ Invitation sur une carte de visite

M. ET Mme DUBOIS

prient Monsieur et Madame Geassin de leur faire l'honneur de venir dîner le 30 octobre à 20 heures.

8, RUE CLAPEYRON PARIS 8ᵉ   R.S.V.P.

▰▰ Invitation sur carton imprimé

Valérie Triaire
recevra ses amis le 17 décembre à partir de 21 heures.
On dansera.

1, rue Mizon Paris 15ᵉ   R.S.V.P.

▰▰ Conseil

Il faut toujours répondre à une invitation, soit par téléphone, soit par un petit mot de remer-ciement ou d'excuse.

MODÈLES DE FORMULATIONS

Mercredi 10 avril 19..

Chers amis,

1
3
C'est avec joie que nous vous invitons à pendre la crémaillère de notre nouvel appartement le samedi 8 février, à partir de 19 heures.

5
Nous comptons sur votre présence.
Sincères amitiés.

Sylvie Rignac

Mercredi 10 avril 19..

Mon cher Jean,

1
2
A l'occasion du week-end du 1er mai, nous souhaiterions inviter quelques amis dans notre maison de Pacy-sur-Eure. Nous aimerions beaucoup que tu te joignes à nous. Mon amie,

4
Marion, serait enchantée de faire ta connaissance. Si tu acceptais, nous pourrions nous retrouver là-bas, jeudi vers

3
18 heures.

5
J'espère une réponse positive de ta part et je t'embrasse tendrement.

Lucienne

Mercredi 10 avril 19..

Chère Madame,

3
Nicolas serait très heureux d'accueillir Romain le mercredi

1
14 mars, vers 15 heures, lors de son goûter d'anniversaire.

2
Dans l'attente de votre réponse, recevez, Madame, mon meilleur souvenir.

Rodolphe Marin

RÈGLES DE LA LETTRE
FAMILLE ET AMIS
TRAVAIL ET EMPLOI
ARGENT ET IMPÔTS
JUSTICE
ADMINISTRATION

Invitation à caractère professionnel

Entretenir de bonnes relations à l'intérieur et à l'extérieur de son entreprise, décrocher des contrats, régler des problèmes n'est pas réservé au cadre austère d'un bureau.

▄▄▄ Présentation

Écrivez sur une carte de visite ou sur une feuille de papier libre. S'il s'agit d'une invitation destinée à une seule personne, il convient de l'écrire à la main.

Prévoyez un délai d'envoi suffisamment long, car vos correspondants peuvent être soumis à un emploi du temps chargé. Ainsi, en cas d'indisponibilité, pourrez-vous modifier la date prévue.

▄▄▄ Quel doit être le contenu de l'invitation ?

☐ L'utilisation de la carte de visite est plus particulièrement réservée aux personnes avec lesquelles des relations personnelles sont déjà établies. Le choix d'une formule simple et courte s'impose, telle que : « prient M. et Mme Pierre Bouillon de leur faire le plaisir de venir dîner jeudi 12 avril à 21 heures. »

☐ La lettre, plus détaillée, est à utiliser pour une première invitation.

1 Évoquez les circonstances qui peuvent justifier l'invitation.

2 Précisez de quel type d'invitation il s'agit.

3 Soulignez l'importance que revêt, à vos yeux, la présence du destinataire. S'il s'agit d'une relation d'affaires, il peut être utile d'évoquer l'intérêt professionnel d'une réponse positive.

4 Soulignez éventuellement, lorsqu'il s'agit d'un collègue ou d'un subordonné, qu'une réponse est attendue.

5 Terminez par une formule de politesse.

▄▄▄ Inviter un supérieur hiérarchique

Si vous invitez un supérieur hiérarchique, vous devez trouver un ton juste, ni trop cérémonieux, ni trop familier.

MONSIEUR ET MADAME BEUGEON

présentent leurs compliments à Monsieur et Madame Freel, et les prient de leur faire l'honneur de venir dîner le lundi 25 avril, à 20 heures.

FRANÇOIS LACASSAGNES
ET SON ÉPOUSE

seraient enchantés de recevoir Monsieur et Madame Mérignac, à l'occasion de la réception amicale qui suivra la présentation de la thèse de leur fils, le lundi 25 avril, à 17 heures 30.
Salons de l'université.

▄▄▄ Inviter un collègue

A l'occasion de la promotion de Pierre, nous organisons une petite fête vendredi 20 février. Nous serions très heureux si vous pouviez y participer.
Je vous prie de croire, Cher ami, à mes sentiments les meilleurs.

▄▄▄ Inviter un subordonné

Vous ferez-nous le plaisir de venir dîner, accompagné de votre épouse, mercredi 10 à 20 heures ?
Nous en profiterions pour étudier les répercussions sur le service des dernières directives du siège.
Je compte sur votre présence, et vous prie de croire, Cher ami, à mes sentiments les meilleurs.

Michel Garel
19, place de la République
75003 Paris

Monsieur Jean-Paul Quermadec
20, rue de Nemours
35100 RENNES

Paris, le 4 mai 19...

Cher ami,

1
2 Vous me feriez un grand honneur, puisque vous êtes dans notre région, en venant dîner vendredi prochain.

3 François Chassin, dont je vous ai parlé, et qui serait intéressé par la distribution de nos produits, se joindrait à nous. Nous pourrions ainsi aboutir, tous les trois, à un accord.

4
5 Dans l'attente de votre réponse, je vous prie d'accepter, Cher ami, l'assurance de mes sentiments les meilleurs.

Michel Garel

RÈGLES DE LA LETTRE
FAMILLE ET AMIS
TRAVAIL ET EMPLOI
ARGENT ET IMPÔTS
JUSTICE
ADMINISTRATION

Réponse positive à une invitation

Toute invitation mérite une réponse. La politesse veut que l'on réponde le plus rapidement possible, c'est-à-dire dans les huit jours qui suivent la réception de la lettre.

Présentation

Écrivez à la main, sur carte de visite ou sur papier libre (format indifférent). Envoyez votre réponse par courrier simple.

À qui adresser votre réponse ?

Aux personnes qui ont lancé l'invitation, quelles que soient les circonstances (événements familiaux, réceptions amicales ou professionnelles), et la nature de l'invitation (repas de noce, week-end à la campagne ou cocktail mondain). Les initiales R.S.V.P., lorsqu'elles figurent sur une invitation, signifient : « Réponse s'il vous plaît ».

Quel doit être le contenu de votre réponse ?

1 Éventuellement, rappelez le jour et l'heure de l'invitation, pour éviter toute confusion.
2 Exprimez vos remerciements pour l'invitation qui vous a été faite.
3 Exprimez le plaisir que vous aurez à rencontrer vos hôtes.

Réponse à une invitation familiale

*Quelle bonne idée de réunir toute la famille à l'occasion de l'anniversaire de Tante Louise. J'espère que nous serons au complet. Bien sûr nous viendrons tous les cinq. Les enfants sautent de joie à la pensée de revoir tous leurs cousins, surtout Pascal et Olivier qu'ils n'ont connus que dans leur berceau.
Je t'embrasse bien affectueusement.*

Réponse à une invitation entre amis

M. ET Mme XULA

remercient vivement M. et Mme Carmel de leur charmante invitation, et se feront une joie de se rendre aux Aubiers, le 14 février à 13 heures.

Chers Gabrielle et Jean-Loup, c'est avec grand plaisir que j'accepte votre invitation pour le 20 mars. Je me réjouis de revoir Françoise et Michel, que je n'ai pas eu l'occasion de rencontrer depuis nos vacances de juillet. A bientôt donc, et toutes mes amitiés.

Réponse à une invitation officielle

ALBERT SOUX

vous remercie de l'invitation à la réception organisée en l'honneur de M. Vidal, à laquelle il se rendra avec plaisir.

*Mon épouse et moi-même sommes très honorés de votre invitation à la soirée de gala au profit des handicapés moteurs.
Nous vous confirmons notre présence et vous prions de trouver ci-joint nos réservations.
Cette manifestation nous donnera le plaisir de renouer avec la tradition philanthropique de notre association.
Recevez, Madame la Directrice, l'expression de nos sentiments les plus cordiaux.*

MODÈLES DE LETTRES

Castries, le 20 avril 19..

Monsieur le Président,

1
2
Vous avez bien voulu me demander de présider la réunion de parents d'élèves, le 3 mai, à l'école Charles Péguy. Je vous en remercie.

Vous savez l'intérêt que je porte aux activités de notre association, que vous dirigez avec tant de dévouement et d'efficacité ; c'est donc avec plaisir que je me rendrai à votre aimable
3
invitation.

Je suis certain que cette réunion servira la cause de nos enfants et permettra, une fois de plus, d'harmoniser les points de vue pour faire prévaloir l'avenir et la notoriété de notre école.

Veuillez agréer, Monsieur le Président, l'assurance de ma considération distinguée.

Jean-Luc Camarès

Le 5 avril 19..

2
C'est avec beaucoup d'émotion que j'apprends ton mariage, pour lequel je t'adresse toutes mes félicitations. Je n'ignore pas
3
l'importance que tu attaches à cette cérémonie et c'est avec grand
1
plaisir que je me joindrai à vous, le 28 juin.

Reçois, chère Clotilde, avec mes vœux de bonheur, mes sincères amitiés.

Vincent Linselle

RÈGLES DE LA LETTRE
FAMILLE ET AMIS
TRAVAIL ET EMPLOI
ARGENT ET IMPÔTS
JUSTICE
ADMINISTRATION

Réponse négative à une invitation

Une réponse rapide s'impose (vos hôtes pourront ainsi prendre des dispositions différentes) : les huit jours qui suivent la réception de l'invitation restent de rigueur.

◼◼◼ Présentation

Comme il s'agit d'un refus, il est préférable de rédiger une lettre, plutôt que d'envoyer une simple carte de visite. Il s'agit d'atténuer la déception de votre correspondant. Toutefois, pour une invitation mondaine ou officielle, une carte de visite suffit.

◼◼◼ À qui adresser votre réponse ?

Aux personnes qui ont lancé l'invitation, quelles que soient les circonstances (événements familiaux, réceptions amicales ou professionnelles), et la nature de l'invitation (repas de noce, week-end à la campagne ou cocktail mondain). Les initiales R.S.V.P. rappellent qu'une réponse est attendue.

◼◼◼ Quel doit être le contenu de votre réponse ?

Certaines règles doivent être respectées, mais votre ton doit être adapté aux rapports que vous entretenez avec votre correspondant.

1 Envoyez vos remerciements pour l'invitation qu'on vous a proposée.

2 Exprimez sincèrement la raison de votre refus, mais évitez de trop détailler.
« Malheureusement, j'ai déjà promis à mes parents de leur rendre visite, ce samedi 25 août. »

3 Faites part des regrets que vous éprouvez à ne pas pouvoir participer.
« Tu sais combien je suis déçu de ne pouvoir vous rencontrer, mais il m'est vraiment impossible de me libérer ce week-end. »

4 En fonction des rapports que vous entretenez avec votre correspondant, et suivant la nature de l'invitation, vous pouvez proposer une autre date de rencontre. « Pour avoir tout de même le plaisir de vous retrouver, je vous propose de vous joindre à la petite fête que j'organise le week-end du 13 juillet. »

◼◼◼ Réponse à une invitation familiale

C'est avec grand plaisir que j'apprends tes fiançailles. J'aurais voulu être présent à cette fête, malheureusement mes obligations professionnelles me retiendront à l'étranger à cette date. Tu peux imaginer combien je regrette de ne pouvoir embrasser ta fiancée.

◼◼◼ Réponses à une invitation officielle

M. ET Mme AUCLAIR
remercient Mme Poiret de son aimable invitation, et regrettent de ne pouvoir l'accepter, des engagements antérieurs les appelant en province.

CAROLE LEFEBVRE
très honorée de votre invitation pour la première de la représentation de votre pièce, regrette de ne pouvoir se rendre libre pour cette soirée.

Je suis heureux d'apprendre que vous présenterez votre thèse le 2 avril, et vous remercie de votre invitation.
Un voyage d'étude m'empêchera malheureusement de venir vous féliciter ce jour-là. Croyez, cependant, à tout mon soutien moral.
Sincères amitiés.

Le 3 mai 19..

Chère Christine, Cher Jacques,

1 *Votre invitation nous a particulièrement touchés, et nous vous en remercions vivement.*

2 *Malheureusement, des engagements familiaux pris antérieurement nous empêchent de nous libérer le 25 juin.*

3 *Nous le regrettons beaucoup. Nous espérons qu'une très prochaine occasion nous permettra de nous réunir.*

Recevez, Chers amis, notre meilleur souvenir.

Jean-Luc

Le 3 mai 19..

Madame,

1 C'est avec grand plaisir que j'apprends l'inauguration de votre nouvelle galerie.

J'aurais aimé être présent lors de votre soirée, malheureusement
2 un engagement antérieur ne me permettra pas d'être des vôtres
3 le 15 juin. Je passerai toutefois, dès mon retour, vous assurer de
4 tout mon soutien.

Veuillez accepter, Madame, l'expression de ma respectueuse sympathie.

A. Justin

Cher Monsieur,

1 Je vous suis particulièrement reconnaissant de m'avoir invité à votre présentation, le 25 mai prochain.

2 Il me sera malheureusement impossible de venir à votre soirée,
3 mais soyez persuadé que je ne manquerai pas de me tenir
4 informé des suites de votre manifestation.

Avec mes vœux de succès, je vous prie de recevoir, Cher Monsieur, l'assurance de ma considération distinguée.

R. Druel

RÈGLES DE LA LETTRE

FAMILLE ET AMIS

TRAVAIL ET EMPLOI

ARGENT ET IMPÔTS

JUSTICE

ADMINISTRATION

Lettre d'excuse pour un rendez-vous manqué

Quelles que soient les raisons pour lesquelles vous n'avez pu vous rendre à un rendez-vous, il est indispensable de présenter vos excuses à la personne que vous deviez rencontrer.

▬▬ Présentation

Écrivez sur papier libre si vous vous adressez à un proche. Utilisez une feuille de format standard 21 × 29,7 et précisez vos coordonnées pour une lettre destinée à une relation. Ecrivez rapidement, de préférence le lendemain du rendez-vous manqué.

▬▬ Quel doit être le contenu de votre lettre d'excuse ?

1 Rappelez vos références (nom, prénom et adresse).

2 Datez.

3 Exprimez votre confusion.

4 Rappelez le lieu et la date du rendez-vous.

5 Expliquez, avec sincérité, les raisons de votre absence.

6 Formulez vos excuses.

7 Proposez éventuellement un autre rendez-vous.

8 Terminez sur une formule de politesse qui sollicite la compréhension de votre interlocuteur.

▬▬ Lettre d'excuse à une amie

Je ne sais pas combien de temps tu m'as attendu hier soir, et je suis vraiment confus d'avoir manqué ce rendez-vous retenu de longue date.
Ce n'est pas un oubli, rassure-toi. J'attendais avec impatience de te revoir et de passer la soirée en ta compagnie. Malheureusement, je n'ai pas pu me libérer de mes obligations professionnelles à l'heure voulue. Lorsque je suis arrivé au Café de la gare, à 21 heures, tu étais bien sûr partie,

et je n'ai pas réussi à te joindre chez toi.
Je te prie de m'excuser pour ce contretemps, et je souhaite ne pas avoir trop gâché ta soirée.
Que dirais-tu, pour me faire pardonner, d'un déjeuner à la Maison Tourtine samedi prochain ? J'attends ton accord.

Avec toute ma tendresse

▬▬ Lettre d'excuse à une relation professionnelle

Thierry Khéfir que j'ai rencontré ce matin, m'a fait part de votre désappointement concernant mon absence à votre réception du week-end dernier.
J'en suis profondément navré, d'autant qu'une stupide erreur de ma part est à l'origine de cet incident.
J'ai bien reçu votre invitation le 15 septembre dernier, à laquelle j'ai répondu positivement, comme vous le savez. Or, j'ai malencontreusement décalé ce rendez-vous d'une semaine sur mon agenda, et m'apprêtais à vous rendre visite samedi prochain.
J'ose croire que vous ne me tiendrez pas rigueur de cette méprise due, je vous l'avoue, à un certain surmenage professionnel.
Veuillez accepter mes sincères excuses et croyez, Cher confrère, à l'expression de mes sentiments amicaux.

[1] Elodie Dériba
5, rue du 14 Juillet
69003 Lyon

Société SPVS
A l'attention de Monsieur L...
25, place de la Victoire
69009 Lyon

[2] Lyon, le 6 janvier 19..

Monsieur,

[3]
[4] Je suis extrêmement navrée de n'avoir pu me présenter à
[5] l'entretien que vous m'aviez fixé le mardi 5 janvier, à 16 heures,
au siège de votre société. La grève-surprise des transports en
commun organisée ce jour-là, et dont vous avez certainement eu
connaissance, est à l'origine de cette fâcheuse situation.

Je renouvelle le message que j'ai laissé à votre secrétaire, et
[6] vous prie d'accepter encore toutes mes excuses pour cet
incident indépendant de ma volonté. Serait-il possible de
[7] convenir d'un nouveau rendez-vous, au jour et à l'heure qui vous
conviendraient ?

[8] Comptant sur votre compréhension, je vous prie d'agréer,
Monsieur, l'expression de mes salutations distinguées.

Elodie Dériba

RÈGLES DE LA LETTRE
FAMILLE ET AMIS
TRAVAIL ET EMPLOI
ARGENT ET IMPÔTS
JUSTICE
ADMINISTRATION

Remerciements pour un cadeau

Lorsque vous recevez un cadeau pour un anniversaire, mariage, baptême, nouvelle année, relation d'affaire, il est bien souvent nécessaire d'envoyer quelques mots de remerciements.

Présentation

Écrivez à la main sur papier libre ou sur une carte de visite.

Quand envoyer vos remerciements ?

Les remerciements doivent se faire dès que possible. Pour un cadeau de mariage, par exemple, profitez d'une carte postale, au cours de votre voyage de noces, pour remercier vos proches. Pour un cadeau de nouvel an, remerciez en formulant vos vœux.

Quel doit être le contenu de votre lettre ?

1. Rappelez le cadeau que vous avez reçu.
2. Dites combien le cadeau vous a plu, ou a été bien choisi.
3. Remerciez en clair.

Remerciements officiels

CATHERINE CAZOULS

a été très touchée par l'attention que vous lui avez témoignée avec ce magnifique ouvrage sur l'art contemporain.
Merci mille fois.

JEAN-LUC et FABIENNE ESPERAZ

vous remercient beaucoup de la magnifique théière que vous leur avez offerte.

M. ET Mme PAUL CRANSAC

vous remercient du tendre et judicieux couffin que Sabine apprécie déjà beaucoup.

Remerciements à un membre de sa famille

Le pull-over que tu m'as tricoté me va à merveille (les manches ne sont pas trop longues, comme tu le craignais), et tous les copains m'envient d'avoir une mamie aussi adroite.
Je te remercie très sincèrement et te fais de gros baisers.

Remerciements collectifs

Chers collègues,
C'est avec beaucoup d'émotion que je vous remercie de votre cadeau d'adieu. Le choix était judicieux, vous connaissez bien ma passion. Cette superbe maquette sera réalisée avec un soin tout particulier et me permettra de me détendre tout en pensant à vous. Merci à tous et sincères amitiés.

Remerciements à un ami

Je te l'ai dit de vive voix, mais je tiens à te redire combien ton cadeau m'a fait plaisir. Tu m'as vraiment trop gâté, j'espère pouvoir conserver longtemps ce témoignage de ton affection. Encore un grand merci et meilleurs baisers.

Je reconnais, avec ce magnifique cadeau, la marque de votre affection. Je suis comblé par tant de gentillesse. Avec mes sincères remerciements, recevez, Cher ami, l'expression de mes sentiments chaleureux.

MODÈLES DE LETTRES

Marseille, le 4 juillet 19..

Chers amis

Nous avons été très sensibles à l'attention particulière que
1 *vous nous avez témoignée avec ce superbe service en cristal,*
2 *gravé à nos initiales.*

Nous comptons sur vous, dès notre retour de voyage de noces,
pour apprécier ensemble sa beauté et son originalité. Marlène
3 *se joint à moi pour vous dire un grand merci et vous*
embrasser affectueusement.

Olivier

Marseille, le 26 décembre 19..

Cher Monsieur,

Nous tenons, mon associé et moi-même, à vous remercier pour
1 votre superbe envoi. Votre choix est judicieux. Aussi nous
sommes déjà en mesure de vous dire que le goût en est parfait
2 et qu'il fera le régal de nos proches lors du réveillon.
Avec notre gratitude, nous vous prions de bien vouloir accepter,
3 Cher Monsieur, l'expression de notre bien cordial souvenir.

Marc Benoit

RÈGLES DE LA LETTRE
FAMILLE ET AMIS
TRAVAIL ET EMPLOI
ARGENT ET IMPÔTS
JUSTICE
ADMINISTRATION

Remerciements après un séjour ou une invitation

Une lettre exprime votre reconnaissance à la personne qui vous a reçu. C'est une marque de politesse qui permet d'entretenir de bonnes relations. C'est aussi une preuve de savoir-vivre, un rappel amical ou professionnel.

Présentation

Écrivez sur une carte de visite ou sur papier libre. Écrivez à la main sur carte de visite. Celle-ci n'a pas à être signée. Datez et précisez vos coordonnées si vous pensez que votre correspondant aura du mal à vous situer.

Quand envoyer vos remerciements ?

L'envoi d'une lettre de remerciements se fait dès que possible, dans les 8 jours qui suivent l'invitation.

Quel doit être le contenu de votre lettre ?

1 Un rappel des circonstances de l'invitation ou du séjour.
2 Une évocation du souvenir agréable... qui subsiste après l'invitation.
3 Remerciez clairement.

Remerciements après une réception

Cette année encore, le méchoui que tu as organisé était une parfaite réussite. Les invités, tous très sympathiques, le numéro de prestidigitation étonnant, le buffet original et délicieux, même le temps était de la partie.
Encore un grand merci pour cette charmante réception.

Baisers affectueux

Remerciements après une invitation

M. ET Mme GEORGES SOUCHET

Permettez-nous, à travers ces lignes, d'exprimer tout le plaisir que nous avons eu à passer avec vous ces quelques moments.
Trouvez ici nos remerciements sincères.
Affectueuses pensées.

TÉL. 17 32 76 98
82, RUE BONNE-AVENTURE
92210 SAINT CLOUD

Remerciements après un séjour

M. ET Mme JEAN BOSC

le 10 mai 19..
Nous voulons vous remercier de tout notre cœur pour ces trois jours, pendant lesquels vous fûtes des hôtes parfaits.
Ce séjour restera pour nous un grand souvenir.
Bien sincèrement
2, RUE MONTAIGNE - 73120 RAMBOUILLET

Malgré les tristes circonstances qui nous ont amené à Bordeaux, votre très agréable accueil nous a rendu le séjour moins pénible. Nous tenons à vous remercier du fond du cœur de votre gentillesse.
Recevez, Chère Charlotte et Cher Jean, notre reconnaissance et nos meilleures amitiés.

18, RUE SAINT-GERMAIN
94120 FONTENAY-SOUS-BOIS

1er octobre 19..

Chers amis,

1 *Beau livre, jolies fleurs, mets choisis, amis généreux et attentifs, sommes-nous si méritants ? En tout cas, merci de nous avoir gâtés et de nous avoir accompagnés dans cette soirée charmante et accomplie.*
2
3 *Merci aussi de nous accueillir au sein de votre longue amitié.*

A très bientôt.

Nicole et Gérard

Marvejols, le 10 mars 19..

Chers amis,

1 *Les trois semaines passées en votre compagnie, pendant mon*
2 *stage dans votre ville, ont été très agréables. J'ai passé avec vous de merveilleux moments.*

3 *Je tiens à vous en remercier vivement et je souhaite que nous ayons l'occasion de nous revoir, lors de moments moins studieux, pour que je puisse vous exprimer le plaisir de ces quelques jours.*

La date de mon examen approche, j'espère vous annoncer de bons résultats.

Recevez, Chers amis, mes sentiments très reconnaissants.

Pierre

RÈGLES DE LA LETTRE
FAMILLE ET AMIS
TRAVAIL ET EMPLOI
ARGENT ET IMPÔTS
JUSTICE
ADMINISTRATION

Remerciements après un service rendu

Après un service rendu, une démarche, une recommandation, il est nettement préférable d'envoyer ses remerciements par écrit, même si un merci par téléphone a été fait immédiatement.

Présentation

Écrivez à la main sur papier libre, plutôt que sur une carte de visite.

Quand envoyer vos remerciements ?

Il convient de le faire dès que possible, dans les 8 jours qui suivent le service rendu.

Quel doit être le contenu de votre lettre ?

1 Rappelez le service rendu.
2 Dites combien ce service était important et ce qu'il a permis de résoudre.
3 Remerciez clairement.

Remerciements après un don ou un prêt

Cher oncle Marc,
Grâce à ta générosité, je peux envisager plus sereinement la rénovation de mon atelier.
J'espère pouvoir te prouver ma reconnaissance dès que possible.
Un grand merci.
Avec toute mon affection.
Ton neveu Joël

Remerciements après une intervention ou une recommandation

Votre compétence et votre gentillesse aux côtés de ma mère nous ont beaucoup touchés.
Nous étions très conscients de l'importance qu'elle attachait à votre présence. Nous tenons à vous en remercier et à vous témoigner toute notre reconnaissance.
Veuillez croire à l'expression de notre profonde gratitude.

Remerciements pour un service rendu

Je n'attends qu'une occasion de pouvoir vous remercier autrement que par des mots de la peine que vous vous êtes donnée pour moi. Sans votre bienveillance, rien n'eût été possible. Tout est maintenant réglé au mieux. Croyez à ma profonde reconnaissance.

Nous tenons à vous remercier de votre participation active et efficace à notre déménagement. Toutes ces caisses, ces emballages et ces transports ont pu se faire sans casse et avec bonne humeur. Nous vous en sommes très reconnaissants. Notre installation se passe bien. Dès que possible, nous comptons sur votre visite. Sincères amitiés.

Remerciements après un succès

J'ai la joie de vous annoncer qu'Hervé a réussi son examen d'entrée à l'École navale.
Je suis très conscient de la part qui vous revient dans ce succès. Votre patience et votre pédagogie y sont pour beaucoup. Je tiens à vous exprimer toute ma gratitude et vous remercie d'accepter ce petit ouvrage sur l'art moderne.
Recevez, Cher Monsieur, l'assurance de ma parfaite considération.

Établissements Rodiez
Route de Dijon
69200 Venissieux

EDF GDF
Section des affaires générales
A l'attention de Mme Munier
69000 LYON

Madame,

1 Votre intervention, auprès des services compétents, nous a permis d'afficher notre enseigne sur le poste de distribution situé route de Lyon à Vénissieux.

2 Comme vous le saviez, nous étions confrontés à un problème vital, car nos visiteurs et clients ne pouvaient repérer nos établissements.

3 En conséquence, nous tenons à vous remercier pour avoir fait aboutir nos démarches.

Nous vous prions d'accepter, Madame, l'assurance de notre parfaite considération.

Gilles Rodiez

RÈGLES DE LA LETTRE
FAMILLE ET AMIS
TRAVAIL ET EMPLOI
ARGENT ET IMPÔTS
JUSTICE
ADMINISTRATION

Faire-part de naissance

Envoyer un faire-part de naissance ou d'adoption est un acte de relations sociales. Il sert à faire partager la joie que l'on accorde à cet événement de la vie.

■ Présentation

Écrivez sur un faire-part illustré, sur une carte de visite, ou rédigez une courte lettre.

■ Quand annoncer la naissance ?

Lorsque la santé de la maman lui permet de recevoir des visites. Vous adressez votre faire-part à la famille proche et éloignée, aux amis intimes, aux relations amicales et professionnelles.

■ Quel doit être le contenu de votre faire-part ?

1 Vos nom et prénom (éventuellement les prénoms des frères et sœurs aînés).
2 L'annonce de la naissance.
3 Le prénom du nouveau-né.
4 La date de naissance.

■ Modèle de faire-part de naissance

Olivia et Christophe
ont l'immense joie de vous annoncer
la naissance de leur fille
Marie-Paule
le 17 août 19...

Rue de la Franchise, Bordeaux

José et Véronique ont la joie de vous annoncer la naissance de leur fils,
Thomas
le 30 juin 19..

Rue Daguerre, Clermont-Ferrand

MONSIEUR ET MADAME FRANÇOIS LEDOUX
sont heureux de vous annoncer la naissance de leurs triplés
Julia, Michel et Laurent
le 26 septembre 19..
AV. MOZART, CHEVREUSE

M. ET Mme GUILLET
Charlie, Huguette, Francine
ont le bonheur d'annoncer
l'arrivée de
Romain
le 4 mai 19..
RUE LAVOISIER, MULHOUSE

■ Faire-part de naissance par voie de presse

M. et Mme Ramon sont heureux de faire part de la naissance de leur fille Michèle, le 14 septembre 19..
Vétheuil, St-Cyr-en-Arthies

Le capitaine de frégate (c.r.) et Mme Philippe Grison ont la joie de faire part de la naissance de leur premier petit-enfant, Marie, fille du lieutenant de vaisseau et de Mme David Pascail.
Toulon, le 16 août 19..

■ Faire-part d'adoption

M. ET Mme OLIVIER COURTOIS
ont l'immense joie
de vous annoncer l'arrivée
à leur foyer de
Kim
RUE ALBERT BAILLY, MARCQ-EN-BARŒUL

Montréal, le 14 octobre 19..

Chers parents,

Comme je vous l'annonçais hier par téléphone,

1

2

3

4

Martine a mis au monde Juliette, une adorable petite frimousse et blonde à croquer. Et oui, elle a déjà quelques cheveux !

Elle pesait 3 kg 100, le 13 octobre, jour de sa naissance, mais prend 10 g à chaque tétée.

Enfin, nous voici comblés et heureux.

Je souhaite que vous puissiez venir voir toute cette petite famille, vous joindre à nous et partager notre joie avant les grands froids habituels à notre région.

Baisers affectueux. A bientôt.

Colin

Caen, le 21 mai 19..

Chère Marie,

2

3

4

Nous sommes heureux de t'annoncer la bonne nouvelle : c'est un garçon ! Il s'appelle Julien et a poussé son premier cri ce matin vers 5 heures.

Il ressemble à grand-père qui, bien entendu, en est déjà fou. La succession du patronyme, si chère à nos parents, est enfin assurée.

Nous comptons sur ta visite prochaine pour te présenter ton neveu.

Tendres baisers.

Loïc

RÈGLES DE LA LETTRE

FAMILLE ET AMIS

TRAVAIL ET EMPLOI

ARGENT ET IMPÔTS

JUSTICE

ADMINISTRATION

Lettre pour adopter un enfant

Les pupilles de l'État, placés sous la responsabilité de la collectivité publique, ne sont pas assez nombreux pour satisfaire les demandes d'adoption. Vous pouvez augmenter vos chances d'être mis en relation avec un enfant en vous adressant à des œuvres privées.

▬ Présentation

Écrivez sur une feuille de format standard 21 × 29,7.

▬ À qui adresser votre lettre ?

☐ À une œuvre d'adoption privée en France. La liste des organismes agréés vous est fournie, sur demande, par le Service de l'aide sociale à l'enfance de votre département.

☐ À une œuvre d'adoption privée étrangère. Vous pouvez demander aux consulats les adresses des associations habilitées par leur gouvernement. Vous devrez, dans ce cas, faire traduire votre lettre dans la langue du pays choisi.

La plupart des œuvres exigent que vous soyez déjà titulaires d'un agrément en vue d'une adoption.

▬ Quel doit être le contenu de votre lettre ?

1 Exprimez votre demande d'adoption.

2 Vous devez fournir le maximum de précisions sur votre état civil, votre situation familiale, votre profession et votre environnement social, car chaque œuvre opère une sélection, selon des critères qui lui sont propres (famille avec ou sans enfant, couple marié ou non, pratiquant de telle ou telle religion...).

3 Précisez si vous êtes titulaire de l'agrément en vue d'une adoption, et exposez vos motivations personnelles. Elles sont aussi essentielles que les garanties matérielles que vous pouvez présenter.

4 Émettez vos souhaits concernant l'enfant que vous désirez accueillir (sexe, âge, nationalité, handicap).

5 Formulez votre espoir d'obtenir une réponse favorable à cette demande.

▬ Que se passe-t-il après réception de votre demande ?

Si vous obtenez une réponse favorable, vous devrez remplir un questionnaire et vous soumettre à des entretiens avant que votre candidature ne soit définitivement acceptée. L'œuvre d'adoption s'occupe ensuite des démarches pour vous mettre en relation avec un enfant.

▬ Qui peut adopter un enfant ?

Toute personne âgée de plus de 30 ans. Lorsque deux personnes veulent adopter ensemble un enfant, elles doivent être mariées depuis au moins cinq ans, sauf si les conjoints ont tous les deux 30 ans. Enfin, la différence d'âge entre adoptant et adopté doit être d'au moins quinze ans. Ces conditions sont prises en compte lors de la requête en jugement d'adoption.

▬ Être titulaire d'un agrément

Pour avoir le droit d'adopter un enfant, il faut être titulaire d'un agrément délivré par le Service de l'aide sociale à l'enfance de votre département de résidence. Signalez-leur simplement que vous désirez adopter un enfant. Après une réunion d'information, vous formulerez par écrit votre demande en vue de constituer votre dossier. Les services publics ont alors un délai de 9 mois pour effectuer des enquêtes sociales et psychologiques et vous notifier leur décision.

M. et Mme Dalcoz
11, place de la Victoire
69000 Lyon

Enfants du Monde
A l'attention de Mme R...
71, rue Léon-Blum
69000 Lyon

Lyon, le 3 juin 1989

Madame,

1 Mon mari et moi-même souhaitons vivement recueillir un enfant abandonné.

2 Agés respectivement de 41 ans et 36 ans, nous sommes mariés depuis sept ans, sans enfant, et issus tous les deux d'une famille nombreuse du Centre de la France. Nous tenons un commerce de pâtisserie à Lyon, où nous nous sommes installés en 1975. Bien intégrés à notre quartier, nous avons fait la connaissance de nombreux amis, dont la gentillesse et la compréhension nous sont d'un précieux réconfort.

J'avais 31 ans lorsque j'ai appris que je ne pourrai pas mettre d'enfant au monde. Depuis, mon mari et moi avons mûrement construit notre projet d'adoption, dont la première étape s'est **3** concrétisée l'hiver dernier par la notification d'agrément du service d'aide sociale.
L'attente est longue et douloureuse mais nous persévérons, convaincus qu'il n'existe pas de plus grande injustice qu'un enfant privé de l'affection d'un père et d'une mère.

4 Notre plus grande joie serait de pouvoir guider les pas d'une petite fille de cinq ou six ans, quelle que soit sa nationalité.

5 Nous vous serions très reconnaissants de nous apporter votre soutien pour la réalisation de ce projet d'adoption, qui nous tient tant à cœur. Je vous prie d'agréer, Madame, l'expression de nos sentiments les meilleurs.

Odile Dalcoz

RÈGLES DE LA LETTRE
FAMILLE ET AMIS
TRAVAIL ET EMPLOI
ARGENT ET IMPÔTS
JUSTICE
ADMINISTRATION

Félicitations à l'occasion d'une naissance

Si vous ne pouvez le faire de vive voix, dès réception d'un faire-part de naissance, le savoir-vivre veut que l'on adresse ses félicitations.

■ Présentation

Les félicitations peuvent s'écrire sur une carte de visite, sur une carte illustrée, sur papier libre. Elles peuvent s'envoyer par télégramme.

■ Quel doit être le contenu de votre lettre ?

1 Exprimez la joie que vous partagez.
2 Exprimez concrètement vos félicitations.
3 Formulez des vœux de bonheur pour le nouveau-né.
4 Souhaitez un rapide rétablissement à la maman.

■ Félicitations sur carte de visite

Faire figurer environ deux éléments des conseils précédents.

M. ET Mme YVES HANON

sont ravis de l'heureux événement dont ils viennent d'avoir connaissance, et présentent à Madame & Monsieur FORT leurs sincères félicitations.

MARC ET INGE GALMIER

ont appris avec joie la naissance de Thibault et vous félicitent très sincèrement.
Prompt rétablissement à la maman.

DIDIER CLUSAZ

apprend avec plaisir la nouvelle. Sincères félicitations aux parents, et meilleurs vœux de bonheur à Frédéric.

■ Félicitations par télégramme

SINCÈRES FÉLICITATIONS À CAROLE ET MARC ET LONGUE VIE À MATHIEU — BAISERS AMICAUX

RAVIS DE LA NAISSANCE D'OLIVIER — FÉLICITONS LES PARENTS — SINCÈRES AMITIÉS

■ Félicitations par lettre

Le voici, ton petit Simon tant espéré !
J'imagine ton bonheur et celui de Georges. Je suis ravie de savoir que tout s'est très bien passé.
Félicitations à tous les deux et meilleurs souhaits au bébé.
Très affectueusement.

Nous sommes très heureux d'apprendre la naissance de votre fille.
Nous vous félicitons cordialement et formulons nos vœux de bonheur pour la petite Anita.
Avec nos souhaits de prompt rétablissement pour la maman, recevez, Chers amis, nos salutations les plus amicales.

C'est de tout cœur que nous nous associons à votre joie.
Quel plaisir pour vos trois filles d'accueillir un petit frère !
Nous vous souhaitons, Chers amis, beaucoup de bonheur, et nous vous adressons nos sentiments très amicaux.

MODÈLE DE LETTRE

Annecy, le 04 décembre 19..

Chers amis,

1 C'est avec émotion et joie que j'ai appris la naissance d'Edouard.

Permettez-moi, en cette heureuse occasion, d'adresser mes plus **2** sincères et chaleureuses félicitations au couple uni que vous formez tous les deux.

Ce premier enfant doit vous combler. Je suis sûr qu'il apportera à votre foyer encore plus d'amour. Je formule tous **3** mes vœux de bonheur et de réussite pour votre bébé et je regrette de ne pouvoir présenter de vive voix mes hommages à **4** la jeune maman. J'espère de tout cœur qu'elle se rétablira très vite.

Veuillez croire à mes meilleures amitiés.

André

RÈGLES DE LA LETTRE
FAMILLE ET AMIS
TRAVAIL ET EMPLOI
ARGENT ET IMPÔTS
JUSTICE
ADMINISTRATION

Faire-part de baptême ou de communion

> Avant le baptême, les parents de l'enfant sollicitent, auprès de leurs proches (un homme et une femme), un parrainage. Le parrain et la marraine doivent répondre rapidement.

▬ Présentation

Écrivez sur une carte de visite pour les relations amicales ou professionnelles. Utilisez une lettre pour le parrain, la marraine, la famille et les amis intimes.

▬ Qui inviter ?

☐ Pour le baptême, invitez les grands-parents, les oncles et tantes, le parrain et la marraine. Si l'on veut donner un caractère plus mondain, on peut élargir le cercle des invités : amis, relations...

☐ Pour la communion ou profession de foi, invitez les grands-parents, les oncles, tantes, le parrain, la marraine et les amis du communiant. Cette cérémonie reste d'ordre privé.

▬ Quel doit être le contenu de votre faire-part ?

1 L'annonce de la cérémonie.
2 Le prénom de l'enfant.
3 Le lieu de la cérémonie, éventuellement son adresse.
4 L'heure de la cérémonie et sa date.

▬ Faire-part de communion d'un filleul à son parrain

*Ma communion aura lieu le dimanche 5 juin 19..., et ainsi que tu l'as toujours fait jusqu'ici, je souhaite que tu sois présent à ce moment important de ma vie de chrétien.
Je t'embrasse bien tendrement.*

▬ Réponse positive à une demande pour être marraine

*L'annonce de la naissance de Caroline m'a réjouie, et voici que tu me demandes d'être sa marraine. Ceci m'apparaît comme le témoignage de la grande amitié qui nous unit.
J'accepte cet honneur avec joie et aurai l'impression d'être un peu de la famille. Je tiens à marquer cet événement par un bijou ou quelque chose d'analogue. Si tu as une préférence, sois gentille de me l'indiquer.
Bien affectueusement.*

▬ Réponse négative à une demande pour être parrain

Il est bien difficile de refuser l'honneur que tu me fais en me demandant d'être le parrain de ton premier fils. Hélas, il faut être raisonnable, tu connais comme moi ma situation professionnelle très instable, et vouée au « nomadisme ». Je prends très au sérieux ce rôle de parrain, aussi je pense que le mieux pour Grégory est que tu choisisses un parrain plus sédentaire, qui pourra s'occuper réellement de son filleul. Ne m'en veux pas trop, et crois à mon très amical souvenir.

MODÈLES DE FORMULATIONS

M. et Mme Isidore Emerboden
[1] vous prient d'honorer de votre présence
[2] le baptême de leur fils Eric,
[4] samedi 30 septembre 19.. à 15 heures,
[3] en l'église Sainte-Marie de Poissy.

Reims, le 15 novembre 19..

Cher Laurent,

[1] *Dominique se joint à moi pour te demander d'être le parrain*
[4] *de Vincent, attendu pour la mi-janvier.*
Tu sais combien nous apprécions ton amitié et il nous a
semblé important de la lier à la vie de notre nouvel enfant.
La sœur de Dominique, que tu connais déjà, a accepté d'être
la marraine.
Je pense que tous les deux, vous feriez de très bons parents
spirituels.
Dans l'attente de ta réponse,
crois en mes sincères amitiés.

Thierry

Reims, le 20 avril 19..

Chers grands-parents,

[1] *Je vais renouveler mes vœux de baptême le 10 mai 19.. Je*
[4] *serais très heureux que vous puissiez être les témoins de mon*
nouvel engagement, comme vous l'avez été lors de mon
baptême.
C'est avec grand plaisir que je vous reverrai entouré de mes
[3] *parrain et marraine à l'église du Sacré-Cœur.*
Je l'espère, à très bientôt.
Affectueux baisers.

Pascal

RÈGLES DE LA LETTRE
FAMILLE ET AMIS
TRAVAIL ET EMPLOI
ARGENT ET IMPÔTS
JUSTICE
ADMINISTRATION

Fiançailles et mariage

Envoyer un faire-part lors de fiançailles ou de mariage est un acte de relations sociales. L'annonce de cet événement, par voie de presse, dans la rubrique « Carnet du jour », permet de gagner du temps. Pour les relations plus intimes (famille et amis proches), l'envoi d'un faire-part personnel est de tradition.

▬ Présentation

Écrivez sur un faire-part illustré, sur une carte de visite ou sur un bristol. Ce faire-part peut être imprimé.

Adressez votre faire-part à tous ceux que vous imaginez concernés par la nouvelle : famille, amis, relations professionnelles.

S'il s'agit d'un remariage, ou bien en l'absence de parents proches, l'annonce des fiançailles ou du mariage peut être faite par le couple lui-même.

▬ Quel doit être le contenu de votre faire-part de fiançailles ?

Indiquez les noms des parents des futurs fiancés, l'annonce de l'événement, sa date et éventuellement le lieu de la réception.

> M. Gontran Onaing
> et Madame Grill
> ont la joie de vous annoncer
> les fiançailles de leurs enfants
> Gréta et Arnold
> le 10 novembre 19..

> M. et Mme Dupiro ont le plaisir de vous annoncer les fiançailles de leur fille Elisabeth,
> M. et Mme Portal sont heureux de vous faire part des fiançailles de leur fils Edouard,
> A cette occasion, un déjeuner sera organisé dimanche 26 mai 19.., à partir de 13 heures, en l'auberge du Préporus à Amiens.   R.S.V.P.
> 15, av. du Maine   64, rue des Prés
> Amiens   Amiens

> M. et Mme Repier
> M. et Mme Dujardin,
> ont la joie de vous faire part des fiançailles de leurs enfants,
> Patrick et Laure.
> Un toast sera porté aux jeunes fiancés, chez les parents de Laure, dimanche 25 juillet 19.. à 11 heures.
> R.S.V.P.

▬ Quel doit être le contenu de votre faire-part de mariage ?

1 Le faire-part commence par les noms des grands-parents (s'ils sont encore vivants) puis celui des parents (la mention veuve ne figurant pas). Éventuellement, indiquer titres et décorations.
2 L'annonce de l'événement.
3 La date de la cérémonie.
4 Le lieu de la cérémonie.
5 L'heure de la réception.
6 Le lieu de la réception.

▬ Faire-part par les mariés eux-mêmes

> Conrad et Chloé
> vous prient d'assister
> à la bénédiction nuptiale
> qui leur sera donnée le 6 juillet à 12 h
> en l'église du Sacré-Cœur à Lille.

> Jean-Jacques et Sylvie Riolini,
> sont heureux d'annoncer leur mariage, célébré en toute intimité le 21 mars 19..

1 M. et Mme Chantefeuille
et M. et Mme Grégor

2 ont le plaisir de vous faire part du mariage de leurs enfants,
Guillaume et Céline.

3 La bénédiction nuptiale leur sera donnée le samedi 25 mai 19.. à

4 10 heures, en l'église Saint-Charles au Creusot.

M. et Mme Chantefeuille
et M. et Mme Grégor

5 recevront à l'issue de la cérémonie religieuse au Pré Coteleau

6 - Le Creusot.

R.S.V.P.

M. et Mme Chantefeuille, 11 av. de la Libération, Le Creusot
M. et Mme Grégor, 44 rue François-Coppée, Paris

Le Creusot, le 20 mars 19..

Chère Estelle,

2 *J'ai le grand plaisir de t'annoncer mon mariage avec Guillaume. Tu as toujours été présente aux événements les plus importants de ma vie, aussi j'aimerais que tu sois le témoin de l'échange de nos consentements.*

3 *La cérémonie civile aura lieu le 24 mai à 15 heures à la*

4 *mairie du Creusot. La cérémonie religieuse se déroulera le samedi 25 mai, en l'église Saint-Charles au Creusot.*

5 *Nous organisons une soirée le samedi à partir de 19 heures*

6 *au Pré Coteleau.*

J'attends ta réponse avec impatience et t'embrasse bien tendrement.

Céline

RÈGLES DE LA LETTRE
FAMILLE ET AMIS
TRAVAIL ET EMPLOI
ARGENT ET IMPÔTS
JUSTICE
ADMINISTRATION

Félicitations pour des fiançailles ou un mariage

Dès réception d'un faire-part de fiançailles ou de mariage, il est d'usage d'envoyer ses félicitations. Cela marque l'affection et la sympathie que l'on porte à la famille.

Présentation

Les félicitations peuvent s'écrire sur une carte de visite, sur une carte illustrée, sur papier libre. Elles peuvent s'envoyer par télégramme.

Quelle doit être le contenu de votre lettre ?

1 Exprimez la joie que vous partagez à la nouvelle des fiançailles ou du mariage.
2 Adressez vos félicitations, selon le cas aux fiancés ou aux mariés. N'oubliez pas leurs parents.
3 Formulez des vœux de bonheur pour le couple.

Félicitations sur carte de visite

M. ET Mme WENGES

sont heureux d'apprendre les fiançailles de Rebecca et lui adressent leurs meilleurs vœux de bonheur et leurs sincères félicitations.

KARINE AGARI

ravie d'apprendre les fiançailles de sa collègue et amie Marie-Luce, la félicite et lui souhaite tout le bonheur possible.

M. ET Mme RICHEPIN

adressent à M. et Mme Vouvier leurs félicitations à l'occasion du mariage de leur fils, Olivier. Ils forment leurs vœux de bonheur pour les jeunes époux.

FRÉDERIC ET PASCALE COSTE

sont très heureux d'apprendre le mariage de Perrine et Lionel et leur expriment, ainsi qu'à leurs parents, leurs cordiales félicitations.

Félicitations par télégramme

SINCÈRES FÉLICITATIONS À JACQUES ET MARTINE — JOIE ET BONHEUR À TOUS DEUX — BAISERS AFFECTUEUX — ONCLE JEAN

NOS MEILLEURS VŒUX DE BONHEUR EN CE JOUR RADIEUX — FÉLICITONS JULIETTE, FRANCK ET LEURS PARENTS — SINCÈRES AMITIÉS.
M. ET MME LAIRE

Félicitations par lettre

C'est avec grand plaisir que j'ai appris tes fiançailles avec Christophe. Après tant de pérégrinations, vous voici enfin disponibles l'un pour l'autre.
Je te félicite, ainsi que Christophe, pour cette décision et formule mes meilleurs vœux de bonheur.
Affectueusement.
Ton ami.

Ne pouvant le faire de vive voix, je tiens à te féliciter de ton mariage avec Sophie. Je vous souhaite à tous deux amour et joie.
Dans l'attente de venir vous voir, je te charge de transmettre mes hommages à ta charmante épouse.

MODÈLES DE LETTRES

Laon, le 10 juin 19..

Chers amis,

1   *L'annonce du mariage de votre fille Claudine nous a réjouis et nous serons très heureux de faire la connaissance de son jeune époux.*

2   *Nous vous adressons nos sincères félicitations et formulons*
3   *nos meilleurs vœux de bonheur aux nouveaux mariés.*

Bien amicalement.

Yann et Colette

Dijon, le 2 avril 19..

Chère Lucie,

1   *J'apprends avec joie que tes fiançailles avec Édouard sont fixées au 12 mai prochain.*

2   *Je tiens à te féliciter pour cette décision et ce projet. Édouard*
3   *est un homme sérieux et plein d'humour à la fois. Je souhaite que tu trouves le bonheur à ses côtés.*

En attendant de t'embrasser, je t'envoie, ma petite Lucie, mes plus affectueuses pensées.

Béatrice

RÈGLES DE LA LETTRE

FAMILLE ET AMIS

TRAVAIL ET EMPLOI

ARGENT ET IMPÔTS

JUSTICE

ADMINISTRATION

Faire-part de décès

L'envoi d'un faire-part permet d'annoncer de façon personnalisée la disparition d'une personne. Dans ces moments douloureux, l'annonce du décès peut se faire à l'aide d'un faire-part imprimé, ou par publication dans le journal régional.

▆▆ Présentation

Le faire-part est en règle générale imprimé et bordé d'un filet noir ou gris. Il est envoyé sous enveloppe fermée aux parents éloignés, aux amis, aux relations, professionnelles ou non.

▆▆ Quel doit être le contenu du faire-part ?

Il vous faudra rédiger un modèle et le remettre à l'imprimeur. On mentionne :

1 Les parents du défunt, des plus proches aux plus éloignés (les parents, le conjoint, les enfants, les beaux-enfants, les petits-enfants, les frères et sœurs, les parents par alliance).

2 La formule : « ont la douleur de vous faire part... »

3 Le nom de la personne disparue, accompagné de ses titres, fonctions et décorations.

4 Son âge. La date et le lieu du décès.

5 En fonction de la religion de la personne décédée, une mention particulière peut apparaître comme « Priez pour lui », « De profundis », un verset biblique ou une sourate peuvent être cités.

6 Pour une invitation aux obsèques, précisez le lieu, église ou cimetière.

7 L'adresse où seront envoyées les condoléances.

▆▆ Deux types de faire-part

☐ La lettre d'invitation, envoyée trois ou quatre jours avant les obsèques, permet au destinataire d'assister à l'enterrement et à la cérémonie religieuse.

☐ La lettre de faire-part, envoyée dans le mois qui suit les obsèques, n'a qu'un rôle informatif. Elle suppose une réponse écrite du destinataire (voir : Les condoléances).

Progressivement, ces deux formes ont tendance à n'en faire plus qu'une, étant donné leur contenu. L'insertion d'une annonce dans la presse tient, le plus souvent, le rôle de l'invitation, et parfois même de faire-part.

▆▆ Le télégramme

Avec prudence, en tenant compte du destinataire et de son émotion, l'annonce d'un décès aux proches peut se faire au préalable par téléphone ou par télégramme.

> ANTOINE VICTIME ACCIDENT VOITURE - COMA DÉPASSÉ - PEU D'ESPOIR

> PÈRE DÉCÉDÉ CE MATIN - N'A PAS SOUFFERT - PRÉVENONS FAMILLE

Avis de décès par voie de presse

> François et Yannick Despart,
> ses parents,
> Marc et Luc, ses frères,
> ont la profonde douleur de faire part du décès de David Despart, disparu dans sa vingt-septième année.
> Cet avis tient lieu de faire-part.
> 24, cours de l'Europe, 17200 Royan.

> Nous avons la douleur de vous faire part du décès de Pierre survenu dans la nuit du 29 au 30.
> La cérémonie religieuse aura lieu à 9 heures, le lundi 5 mai, en l'église réformée du Luxembourg,
> 58, rue Madame, Paris 6ᵉ.
> Cet avis tient lieu de faire-part.
> 29, rue du Roi de Sicile, 75004 Paris.

Madame Etienne VERDONCK,
     son épouse

1 Monsieur Didier VERDONCK, Principal du collège Anne Frank
Madame Annie RADET-VERDONCK
Monsieur Paul VERDONCK, Docteur en médecine,
Madame Paul VERDONCK, Adjointe au Maire
Mademoiselle Valérie VERDONCK
     ses enfants et petits-enfants

Monsieur et Madame Valentin TURPIN-VERDONCK
Monsieur Christophe TURPIN, élève à l'École normale
Monsieur et Madame Ludovic PRAT-TURPIN
     ses sœur, beau-frère, neveu et nièce

2 ont la douleur de vous faire part de la perte
qu'ils viennent d'éprouver en la personne de :

3   Monsieur Étienne VERDONCK
                    Ingénieur agronome
                 Chevalier du Mérite agricole

4 décédé pieusement le 04 juin 19.., à Pontoise, à l'âge de 74 ans.

5 Priez pour lui

7 Av. Félix-Martin
95300 Pontoise

RÈGLES DE LA LETTRE
FAMILLE ET AMIS
TRAVAIL ET EMPLOI
ARGENT ET IMPÔTS
JUSTICE
ADMINISTRATION

Condoléances à un proche

Vous avez le malheur d'apprendre la disparition d'un proche ; si vous ne pouvez être présent aux obsèques, une courte lettre s'impose. Cette lettre doit être rédigée avec tact et sincérité en pensant que les quelques mots ont pour objet de marquer le regret et l'affection.

Présentation

La lettre doit être écrite à la main, sur une feuille blanche. Elle est destinée à la personne, ou la famille, qui vous a fait part du décès.

Quel doit être le contenu de votre lettre ?

Il n'existe pas, si l'on est sincère, de modèle. Ce qui est important, c'est d'exprimer ses sentiments, sa sympathie. Voici cependant quelques idées qui peuvent vous guider.

1 Nommez la personne disparue et ses qualités ; éventuellement rappelez vos relations avec elle.

2 Exprimez votre participation à la peine, à la douleur, au deuil de la famille.

3 Éventuellement, évoquez ceux qui restent et qui sont dans la peine et l'obligation morale de faire face, d'être courageux.

4 Si la situation le permet, évoquez l'avenir, le soutien des enfants, des amis, la vie qui continue.

5 Éventuellement, proposez votre aide.

6 Terminez votre lettre par une formule qui exprime votre soutien moral.

Lettre aux parents d'un enfant décédé

Avec émotion, j'apprends l'immense chagrin qui vient de vous frapper et je reste atterré par cette nouvelle injuste et tragique. Je mesure l'étendue de l'épreuve que la disparition de Loïc est pour vous deux, et je voudrais vous assurer de mon soutien, dans la peine et la tristesse. Je vous embrasse avec toute mon affection.

Lettre d'un ami à l'épouse du défunt

Michel fut un ami sincère, sensible et toujours disponible. Je ne puis admettre l'injustice qui vous touche et prends part à votre chagrin. La perte du compagnon de toute une vie est une déchirure irréparable et que le temps ne referme jamais. Il faut aussi apprendre à vivre avec cette épreuve. N'oubliez pas que vous vous devez à vos enfants et, qu'à travers eux, Michel sera toujours là. N'hésitez pas à faire appel au vieil ami que je suis. Croyez, Chère Henriette, à toute ma fidèle sympathie.

Lettre pour s'excuser de ne pouvoir assister aux obsèques

C'est avec une profonde tristesse que j'apprends le malheur qui vient de te frapper. Je sais combien tu étais proche de ton beau-père tant par les sentiments que par vos intérêts communs. Je regrette de ne pouvoir te soutenir le jour de l'inhumation, mais sois assuré de toute ma sympathie dans cette douloureuse épreuve. Transmets à ta famille mes sincères condoléances. Reçois, Cher Olivier, l'expression de ma profonde amitié.

Rouen, le 2 avril 19..

Chère Marie,

La douloureuse nouvelle vient de me parvenir. Les mots en de telles circonstances semblent dérisoires lorsqu'il faut exprimer l'émotion, la peine, le chagrin.

1 *Frédéric avait toujours une invention inattendue à nous montrer, un projet enthousiaste où nous entraîner. Dans les moments difficiles, il savait découvrir les solutions qui allaient tracer les perspectives à suivre.*

2 *C'était un ami, et le souvenir de tant de choses partagées souligne son départ, et son absence immense et douloureuse demeurera en nos cœurs.*

G *Chère Marie, croyez, je vous prie, à l'expression de ma très sincère sympathie.*

Brigitte

RÈGLES DE LA LETTRE

FAMILLE ET AMIS

TRAVAIL ET EMPLOI

ARGENT ET IMPÔTS

JUSTICE

ADMINISTRATION

Condoléances officielles

> Les condoléances représentent la partie la plus délicate de la correspondance. Il convient d'être simple en pensant que la lettre n'a pas pour objet de consoler, mais de marquer l'estime et le regret pour le défunt, de l'affection pour la famille.

■■■ Présentation

Le texte doit être écrit sur une feuille blanche. Il peut être, dans le cas de relations professionnelles, écrit à la main ou dactylographié. La lettre de condoléances est à adresser à la personne ou à la famille qui a fait part du décès.

Dans le cas de relations éloignées, on peut adresser quelques mots sur une carte de visite.

■■■ Quel doit être le contenu de votre lettre ?

1 Exprimez votre participation à la douleur de la famille.

2 Évoquez l'estime dans laquelle vous teniez le défunt.

3 Terminez par une formule de politesse qui exprime votre compassion.

■■■ Condoléances personnelles

MONSIEUR ET MADAME ISIDORE VALENTE
ET LEURS ENFANTS

adressent leurs sincères
condoléances à
Madame Jeanne Serteau.

MONSIEUR ET MADAME DELMONT

s'associent de tout leur cœur à
l'épreuve qui touche
Monsieur Ramot, et lui adressent
l'expression de leur amitié.

FRANÇOIS ET VALÉRIE LABASTIDE

Comment partager la douleur qui
est la vôtre ? Puisse ce modeste
témoignage de notre amitié vous
aider dans l'épreuve qui est aussi
la nôtre.

CAROLINE BRIOUDE

Au moment où le malheur vous
frappe, croyez, Mademoiselle Lari,
à notre totale sympathie.

■■■ Condoléances collectives

C'est au nom de tous mes collègues
que je tiens à exprimer notre
sincère sympathie dans le malheur
qui vous frappe.
Nous connaissions votre
attachement à votre épouse dont
nous avions tous su apprécier les
qualités d'accueil et de générosité.
Croyez, Monsieur le Directeur, à
nos sentiments très attristés.

Nous apprenons avec douleur le
décès de votre fils Jacques.
Ses collègues de travail, ainsi que
moi-même, tenons à vous assurer
de notre soutien et de toute notre
sympathie dans cette cruelle
épreuve.
Veuillez croire, Monsieur Durand,
à l'expression de nos sincères
sentiments.

Angers, le 15 mars 19..

Chère Madame,

1 C'est du fond du cœur que je prends part au si grand chagrin qui vous frappe ainsi que les vôtres.

2 Vous savez quelle haute et amicale estime j'avais pour votre mari. Il fut un collaborateur actif, dévoué et chaleureux. Je salue sa mémoire avec une profonde émotion.

Ma femme, Chère Madame, s'unit à mes sentiments et me charge de vous dire qu'elle est près de vous par la pensée.

3 Je vous prie d'agréer mes salutations les plus respectueusement attristées.

Charles de Valençay

Nice, le 13 novembre 19..

Mon cher Jean,

1 La nouvelle de l'accident ne m'est parvenue que ce matin. Croyez que je partage sincèrement la cruelle épreuve qui vous accable brutalement.

2 Je n'ai eu l'occasion de rencontrer votre épouse qu'une seule fois, mais j'ai pu, ce jour-là, apprécier sa gentillesse chaleureuse et attentive.

3 Veuillez accepter, Cher Monsieur, l'assurance de ma profonde sympathie.

Fabien Moreau

RÈGLES DE LA LETTRE

FAMILLE ET AMIS

TRAVAIL ET EMPLOI

ARGENT ET IMPÔTS

JUSTICE

ADMINISTRATION

Rédiger un testament

Il existe trois formes de testament : *olographe*, écrit, signé et daté de la main du testateur ; *mystique*, remis sous enveloppe cachetée à un notaire, en présence de deux témoins (il peut être écrit par un tiers mais doit être signé par le testateur) ; *authentique*, dicté à un notaire en présence de deux témoins.

▄▄ Présentation

Écrivez de votre main sur une feuille de format libre.

Vous pouvez conserver votre testament mais il risque de ne pas être retrouvé après votre décès. Vous pouvez le confier à une autre personne. Vous pouvez le déposer chez votre notaire, le faire publier au Fichier central des dispositions de dernières volontés.

▄▄ Quel doit être le contenu de votre testament ?

1 Signifiez la nature du document : « Ceci est mon testament... »

2 Déclinez votre identité par la formule : « Je soussigné... » nom, nom de jeune fille éventuellement, prénom et adresse.

3 Exprimez clairement que vous donnez ou léguez : « Je donne et lègue par ce testament :... ».

4 Désignez clairement celui ou ceux à qui vous destinez ce legs : nom, prénom, adresse.

5 Citez les objets, valeurs ou autres que vous léguez à chacun.

6 Éventuellement, vous pouvez prendre les dispositions relatives à vos funérailles (caractère civil ou religieux des obsèques, incinération, lieu d'inhumation), à la succession d'une tutelle d'enfant, etc.

7 Déclarez formellement que vous révoquez tout autre testament antérieur : « Je déclare révoquer tous les autres testaments que j'aurais pu rédiger précédemment ».

8 N'oubliez pas de dater (jour, mois et année) et de signer. Sans cela, ce document n'aurait aucune valeur.

▄▄ Qui peut faire un testament ?

Toute personne saine d'esprit et âgée de 16 ans au moins peut faire un testament. Un testament est un acte individuel. S'il est rédigé par deux conjoints, cet acte est nul. Le testament est révocable à tout moment.

▄▄ Que peut-on léguer, et à qui ?

☐ Si vous n'avez pas d'héritier : vous pouvez léguer tous vos biens à qui vous voulez.

☐ Si vous avez des héritiers :
— vous pouvez déterminer le partage entre vos héritiers. Pour cela vous devez faire un testament-partage soumis aux mêmes conditions de forme que les donations : un acte notarié est nécessaire. Vous devez vous renseigner auprès d'un notaire.
— vous pouvez également léguer une partie de vos biens à des personnes étrangères à votre famille, dans la limite de la quotité disponible. Celle-ci varie en fonction du nombre d'héritiers réservataires. À titre d'exemple, si vous avez un enfant, vous pouvez disposer de la moitié de vos biens ; avec deux enfants, vous pouvez léguer le tiers de vos biens ; avec trois enfants et plus, la quotité disponible représente un quart de vos biens. Renseignez-vous auprès d'un notaire pour de plus amples informations.

▄▄ Vocabulaire

Testateur : auteur d'un testament.
Révoquer : annuler.
Héritiers réservataires : ascendants ou descendants directs du testateur appelés à recevoir une fraction minimale de la succession dénommée « réserve ».
Quotité disponible : part de succession qui excède la réserve.

MODÈLE DE RÉDACTION

1 *Ceci est mon testament,*

2 *Je soussignée Antoinette RIVIÈRE, veuve de Louis BARON, demeurant 14, rue d'Aulterile, 63100 Clermont-Ferrand,*

3 *donne et lègue par ce testament :*

4 *– à mon amie Marie-Christine VALLOUX, 10, rue de Turin,*

5 *75008 Paris, le contenu de mes deux bibliothèques (livres et pierres semi-précieuses), ainsi que les deux aquarelles signées Walch.*

– à mon neveu Cyril BLANCHET, habitant 15, rue Chanteranne, 63100 Clermont-Ferrand, ma maison et le terrain sur laquelle elle est située.

6 *Je désire, par ailleurs, être incinérée.*

7 *Je déclare révoquer tous les autres testaments et dispositions que j'aurais pu prendre précédemment.*

8 *Fait et écrit entièrement de ma main à Clermont-Ferrand, le 4 mai 19..*

Antoinette Rivière

RÈGLES DE LA LETTRE

FAMILLE ET AMIS

TRAVAIL ET EMPLOI

ARGENT ET IMPÔTS

JUSTICE

ADMINISTRATION

Lettre à un notaire pour régler une succession

Les lois qui régissent le droit des successions sont complexes. Bien souvent, l'intervention du notaire est nécessaire pour régler certaines formalités.

▬ Présentation

Écrivez sur papier libre. Adressez votre lettre au notaire de votre choix. Il est préférable de s'adresser au notaire du défunt, s'il est en possession d'un testament.

▬ Quel doit être le contenu de votre lettre ?

1 Annoncez le décès ; donnez les renseignements d'état civil et l'adresse du défunt. Joignez la photocopie de l'acte de décès.

2 Précisez votre lien de parenté.

3 Formulez votre demande de règlement de la succession.

4 Donnez des précisions concernant les héritiers potentiels du défunt (enfants, petits-enfants, parents, frères et sœurs, neveux et nièces, grands-parents, etc.).

5 Signalez si un testament a été établi. Précisez si vous l'avez en votre possession, ou s'il a été déposé chez un notaire.

6 Faites l'inventaire des biens et des dettes éventuelles du défunt.

7 Demandez quelles sont les formalités à accomplir. Les formalités de règlement successoral sont différentes suivant les biens qui composent la succession.

▬ Doit-on accepter toute succession ?

Vous n'êtes pas tenu d'accepter un héritage, car le défunt peut avoir des dettes d'un montant supérieur à celui des biens qu'il vous lègue. Procédez vous-même à une évaluation du patrimoine du défunt, avant de demander au notaire le règlement de la succession.

▬ Quels sont les documents que vous devrez fournir au notaire ?

Pour régler la succession, le notaire a besoin d'un certain nombre de justificatifs. Vous lui remettrez en main propre les originaux de ces pièces, lors de votre première entrevue.
En voici la liste indicative : le livret de famille du défunt, ses extraits d'acte de naissance et de mariage, son testament, les extraits d'acte de naissance et de mariage des héritiers, les livrets de caisse d'épargne, les relevés d'identité bancaire, les polices d'assurance du mobilier, les cartes grises des véhicules, les titres de propriété, le contrat d'assurance-vie, les actes d'emprunt, les avertissements d'impôts.

▬ Comment savoir si le défunt a rédigé un testament ?

Si vous n'avez pas trouvé de testament au domicile du défunt, consultez le notaire de famille qui l'a peut-être en sa possession. Par ailleurs, n'importe quel notaire peut vous renseigner, en consultant le Fichier central des dispositions de dernières volontés, pourvu que le défunt ait pris la précaution d'y avoir fait enregistrer son testament.

▬ Peut-on se passer des services du notaire ?

Si la succession est de faible importance, ne comporte pas de biens immobiliers, et en l'absence de testament, les héritiers peuvent régler eux-mêmes la succession.

Madame Julie Diévart
2, avenue des Gobelins
75013 PARIS

Maître Lebon
3, square Mermoz
75001 Paris

Paris, le 26 décembre 19..

Maître,

1 Je tiens à porter à votre connaissance le décès de mon oncle, Gustave Cola, survenu le 19 décembre 19.. à son domicile, 25, rue du Croissant à Paris.

2 Mon oncle, qui était veuf et sans enfant, m'avait prié de vous
3 contacter pour régler sa succession, car j'étais sa seule parente
4 proche.
5 Je n'ai pas connaissance de l'existence d'un testament, et n'en ai trouvé nulle trace dans ses papiers. Mais peut-être vous en a-t-il confié la garde ?

6 Quoi qu'il en soit, voici la liste de ce qu'il possédait :
– un appartement de 40 m², 25, rue du Croissant, Paris 2e
– un véhicule 9 CV de marque Renault, année 1990
– 35 700 francs, sur son livret d'épargne de la Poste
– 16 255 francs, sur son compte bancaire (BNP)
– une collection d'environ 3 000 timbres dont la valeur devra être expertisée.
Je pense qu'il n'avait contracté aucune dette.

7 Auriez-vous l'obligeance de m'indiquer les formalités à accomplir et les pièces à réunir avant notre prochaine entrevue ?
En vous remerciant à l'avance, je vous prie d'agréer, Maître, l'assurance de ma parfaite considération.

Julie Diévart

P.J. : une photocopie de l'acte de décès

RÈGLES DE LA LETTRE
FAMILLE ET AMIS
TRAVAIL ET EMPLOI
ARGENT ET IMPÔTS
JUSTICE
ADMINISTRATION

Félicitations pour une réussite

Adresser ses félicitations lors d'une réussite professionnelle, de l'obtention d'un diplôme ou après une élection, c'est exprimer l'intérêt que l'on porte aux activités de ses relations.

▇▇ Présentation

Écrivez sur une carte de visite, sur papier libre. Vous pouvez également envoyer un télégramme.

▇▇ Quel doit être le contenu de votre lettre ?

1 Rappelez l'objet des félicitations. Exprimez le plaisir que vous avez eu à la connaissance de la nouvelle.
2 Adressez vos félicitations.

▇▇ Le ton de votre lettre

Votre ton doit être adapté à la situation et aux rapports que vous entretenez avec votre correspondant. Vous marquerez essentiellement une différence, par l'utilisation de certaines formules d'appel et de formules de politesse.

à un supérieur hiérarchique :	Monsieur ou Madame suivi de son titre	« Acceptez, avec mes compliments, l'expression de mes sentiments les plus dévoués. »
à un subordonné :	Cher ami ou Cher collaborateur	« Recevez mes plus vives félicitations. »
à une relation professionnelle, ou à une connaissance :	Cher Monsieur ou Madame Cher collègue Cher ami	« Recevez, cher Monsieur, mes félicitations les plus chaleureuses. »

▇▇ Doit-on préciser son nom et son adresse personnelle ?

Oui, si vous ne connaissez pas personnellement votre correspondant, ou si vous pen-

sez que le destinataire aura des difficultés à se souvenir de vous. De plus, cela permettra à votre correspondant de vous envoyer un petit mot de remerciement.

▇▇ Félicitations pour une réussite professionnelle

> ANDRÉ MAYER
> *vient d'apprendre votre nomination au poste de directeur commercial et vous adresse ses sincères félicitations.*

> AUGUSTE BRIOUDE
> *a été ravi d'apprendre votre réussite au concours de HEC et vous félicite chaleureusement.*

▇▇ Félicitations par télégramme

> RAVIS DE VOTRE PROMOTION — SINCÈRES FÉLICITATIONS ET MEILLEURS VŒUX DE RÉUSSITE AMITIÉS — GEORGES

> FÉLICITATIONS POUR TA RÉUSSITE AU BAC — MEILLEURS VŒUX POUR TES ÉTUDES — MAMIE

▇▇ Félicitations pour une décoration

> J'ai découvert avec grand intérêt que vous veniez d'être nommé au grade de chevalier des Palmes académiques.
> Je tiens à vous exprimer mes plus sincères félicitations, ainsi que ma fidèle amitié.

Rennes, le 21 septembre 19..

Chère Béatrice,

1 *Ta tante et moi-même avons été enchantés d'apprendre que tu étais reçue au concours d'entrée de l'École des Cadres. Te voici maintenant à l'orée de la carrière que tu as toujours désiré entreprendre.*

2 *Avec nos sincères félicitations, nous te souhaitons bon courage pour la suite de tes études.*

Très affectueusement.   *Pierre et Madeleine*

Rennes, le 21 septembre 19..

Monsieur Carteron,

1 C'est avec un grand plaisir que j'ai appris votre nomination au poste de directeur de la création. Votre promotion n'est que la juste récompense de vos mérites professionnels.

2 Permettez-moi de vous exprimer, avec mes plus vives félicitations, l'expression de mes sentiments très dévoués.

Paul Lemire

Rennes, le 21 septembe 19..

Cher Président,

1 J'ai lu avec plaisir l'annonce de votre élection à la présidence de l'Association des sports.
Connaissant votre compétence et votre dynamisme, je suis persuadé que vous saurez mieux que personne mener au mieux les affaires de cette association.

2 Veuillez accepter, avec mes félicitations, tous mes vœux pour une pleine réussite de votre mandat.

Laurent Farigoule

Vœux de nouvel an

Les vœux de nouvel an sont une des occasions de reprendre contact avec des personnes que l'on n'a pas eu l'occasion de voir pendant l'année. La carte de vœux apporte un témoignage de fidélité. Voici quelques idées et formules.

Présentation

Les vœux s'adressent sur une carte de visite, une carte illustrée ou sur papier libre.

Quel doit être le contenu de votre lettre ?

Le contenu doit être adapté à l'âge du destinataire, à la situation qu'il occupe ainsi qu'aux rapports que vous entretenez avec lui. On ne présentera pas les mêmes vœux à une tante âgée, à son patron ou à son ami le plus proche. Le ton et l'utilisation du vouvoiement ou du tutoiement dépendent du degré d'intimité qui vous lie à votre correspondant. On peut adresser ses vœux jusqu'au 31 janvier.

Vœux aux membres de sa famille

Chère Odile,
Ce début d'année encore ne nous verra pas réunis pour les fêtes.
Sache pourtant que je serai avec toi par la pensée.
Puisse ces prochains mois nous donner l'occasion de nous réunir dans la joie.
Je te souhaite, ainsi qu'à ta famille, mes meilleurs vœux de bonheur et de santé.
Avec toute mon affection fraternelle.

Vœux à des amis

M. ET Mme RAVAUD
vous envoient leurs meilleurs vœux de bonheur pour l'année 19..

J'ai bien reçu votre carte et je m'empresse de vous adresser, à mon tour, tous mes vœux de bonheur pour cette année 19... Qu'elle vous apporte la réalisation de tous vos projets.
Je sais que vos enfants sont loin maintenant, mais transmettez-leur mes souhaits de réussite ainsi que mes amitiés. Enfin, j'ose espérer que nous aurons l'occasion de nous voir plus souvent.

Vœux à des relations professionnelles

En ce début d'année, recevez, ainsi que toute votre famille, tous mes vœux de santé et de prospérité, auxquels j'ajoute ma profonde sympathie.

M. ET Mme VADRET
prient M. et Mme Dorp d'accepter leurs vœux de bonheur et santé pour la nouvelle année.

Vœux à un supérieur hiérarchique

RAYMOND FEBVRE
prie Monsieur Trenois d'agréer ses vœux les meilleurs pour la nouvelle année et l'assure de son profond respect.

M. ET Mme HAUTEVILLE

souhaitent que cette nouvelle année
voie vos plus chers désirs se réaliser
dans la joie et le bonheur.

Paris, le 30 décembre 19..

Chère Mamie,

Une année se termine, une autre commence.
Nous espérons, Catherine et moi, que cette année te gardera
en bonne santé, et que tu nous feras, comme promis, le plaisir
d'une petite visite dans les prochaines semaines. Tu sais
combien nous apprécions les moments que nous passons
ensemble.
En attendant, nous t'embrassons de tout notre cœur.

Tes petits-enfants qui t'aiment.

Cécile et Catherine

Marie et Thomas Lanoux

Nous avons regretté votre absence aux
fêtes de nouvel an de l'Association,
cependant nous tenons à vous
présenter nos meilleurs vœux de
bonheur et santé pour 19..

RÈGLES DE LA LETTRE
FAMILLE ET AMIS
TRAVAIL ET EMPLOI
ARGENT ET IMPÔTS
JUSTICE
ADMINISTRATION

Location : demande de renseignements

Vous pouvez consulter les petites annonces (il existe des revues spécialisées), ou écrire au syndicat d'initiative de la ville où vous désirez séjourner.

Présentation

Écrivez sur une feuille format standard 21 × 29,7. Précisez vos coordonnées et datez. Envoyez par courrier simple.

À qui adresser votre lettre ?

Adressez votre lettre au propriétaire du logement, ou à l'agence chargée de la location. Pour les autres possibilités de locations (gîtes ruraux, places de camping, hôtels...), adressez-vous au syndicat d'initiative, à l'office du tourisme du département. Vous trouverez leur adresse dans les annuaires.
Vous devez vous renseigner le plus tôt possible, avant la date prévue, les offres de locations étant nettement inférieures à la demande.

Quel doit être le contenu de la lettre ?

1 Demandez un état descriptif des lieux (le nombre de pièces, les commodités, la surface du terrain, l'état général du bâtiment, etc.). Pour un pavillon, vous pouvez demander une photographie.
Cette précaution est importante, car c'est une preuve écrite de ce que le propriétaire s'engage à vous louer.
2 Faites préciser très exactement le prix total, pour la durée et la période de location que vous envisagez. Renseignez-vous sur le montant des arrhes que vous devrez verser. Demandez si les charges (chauffage, gaz, électricité, enlèvement des ordures et autres taxes) sont comprises dans le prix de la location.
3 Faites situer sur un plan de la ville ou sur une photocopie de carte d'état-major (que vous enverrez), l'emplacement exact de l'habitation.

4 Un certain nombre de renseignements complémentaires peuvent être utiles :
De quoi se compose l'environnement proche ?
Existe-t-il une voie ferrée proche, un night-club, une aire de jeux, une rue passante ?
Y a-t-il un garage ? Sinon où peut-on garer son véhicule ?
Quelles sont les distances entre le logement et la mer, ou les pistes de ski, entre le logement et les commerçants les plus proches, entre le logement et le centre-ville ?
Si le logement est isolé, quels sont les moyens de transport ?

Demande à une agence

Je suis actuellement à la recherche d'une villa ou d'un appartement à louer pour la période du 5 juillet au 15 août prochain, dans la région du Canet.
Pourriez-vous m'indiquer les propositions de locations dont vous disposez pouvant correspondre à ces différents critères :
- 3 chambres (avec 5 couchages)
- Sanitaires confortables
- Séjour spacieux
- Garage ou place de parking
Avec mes remerciements, je vous prie de recevoir, Monsieur, mes sincères salutations.

M. et Mme Bernard Valras
44, rue du Gros-Horloge
76000 Rouen

Monsieur Roland Rosans
15, place Arson
06000 NICE

Rouen, le 15 janvier 19..

Monsieur,

Le syndicat d'initiative de Nice m'a signalé la location de votre appartement meublé, 22, rue d'Angleterre à Nice. Je serais intéressé par cette location pour une période d'un mois, à compter du 15 juillet 19.., mais j'aimerais avoir, avant de me décider, quelques renseignements complémentaires.

1 Pouvez-vous me donner le détail exact des lieux : la surface des pièces, le nombre de lits, la liste des meubles et le descriptif des ustensiles disponibles ?

2 Par ailleurs, pouvez-vous me préciser le montant du loyer que j'aurais à payer, charges comprises, pour la période que je vous ai indiquée ; et quel serait le montant des arrhes que je devrais vous verser pour arrêter la location ?
Y aurait-il la possibilité de disposer d'un garage, et à quelles conditions ?

3 Enfin, ne connaissant pas votre ville, j'aimerais savoir la distance entre la rue d'Angleterre et la mer (peut-être pourriez-vous situer
4 cela plus précisément sur un plan ?) Existe-il une desserte par les transports en commun ?
Je vous serais obligé en dernier lieu, de me fournir quelques précisions sur les commerces alentour.

Dans l'attente de votre réponse, et comptant sur votre diligence, je vous prie d'agréer, Monsieur, l'expression de mes sentiments distingués.

Bernard Valras

RÈGLES DE LA LETTRE
FAMILLE ET AMIS
TRAVAIL ET EMPLOI
ARGENT ET IMPÔTS
JUSTICE
ADMINISTRATION

Location : lettre de réservation

Un logement a retenu votre attention. Il faut en arrêter la location et confirmer par écrit le plus tôt possible. Un simple accord verbal vous laisserait sans recours si un problème surgissait.

Présentation

Écrivez sur une feuille de format standard 21 × 29,7. Précisez vos coordonnées. Datez. Envoyez par courrier simple, ou en recommandé avec accusé de réception. Gardez un double.

À qui adresser votre lettre ?

Au propriétaire du logement, à l'agence chargée de la location, ou au gérant de l'hôtel ou du camping.

Quel doit être le contenu de votre lettre ?

1 Si vous avez conclu un accord par téléphone avec le propriétaire, précisez-le. « Suite à notre conversation téléphonique du... ».

2 Confirmez clairement par écrit votre engagement à louer le logement, dont vous préciserez l'adresse complète et la durée de la location.

3 N'hésitez pas à préciser, s'il y en a, les conditions particulières de la location (promesse d'un garage, réduction pour une durée de location plus longue, mise à disposition d'une pièce supplémentaire).

4 Rappelez le prix de la location et les modalités de règlement. « Ci-joint un chèque de 1 000 francs, à valoir comme arrhes sur le montant total de 3 000 francs ».

5 Terminez votre lettre par une formule de politesse, et mentionnez que vous attendez une réponse écrite du propriétaire. « Dans l'attente de votre réponse... ».

6 Dans un post-scriptum, inquiétez-vous des derniers détails, relatifs à votre arrivée (le moyen d'obtenir les clés du logement, par exemple).

Lettre à un hôtel

Je vous confirme la réservation faite ce matin, par téléphone, à votre réceptionniste.
A l'occasion de l'arrivée de la course du Figaro à Bénodet je désire réserver deux chambres avec bains, côté jardin, les nuits du 27 et 28 juillet.
Ainsi que demandé, veuillez trouver ci-joint un chèque de 400 F à titre d'arrhes.
Avec mes remerciements, recevez, Monsieur, mes sincères salutations.

Lettre au gérant d'un camping

Comme l'été précédent, pourriez-vous me réserver la place 14 de votre camping, pour le mois de juin prochain ?
Veuillez trouver ci-joint un chèque de 600 F à valoir comme arrhes sur le montant total de la location.
Dans l'attente de votre confirmation, recevez, Monsieur le Gérant, mon meilleur souvenir.

Conseils

☐ Faut-il régler en espèces ? Évitez toujours ce mode de paiement. Utilisez un chèque libellé au nom du propriétaire. Il existe ainsi une trace du règlement.

☐ Est-il nécessaire d'avoir une confirmation écrite ? En cas de problème, votre lettre n'est pas une preuve suffisante. Il faut un engagement écrit du propriétaire.

M. et Mme Bernard Valras
44, rue du Gros-Horloge
76000 Rouen

Monsieur Roland Rosans
15, place Arson
06000 NICE

Rouen, le 28 février 19..

Monsieur,

1 Après avoir pris connaissance des renseignements complémentaires que vous avez eu l'amabilité de nous communiquer, et suite à notre conversation téléphonique du

2 27 février 19.., je vous confirme ma décision de louer votre appartement, Résidence du Mont-Chauve, 22, rue d'Angleterre, 2e étage à Nice, et ce pour une période d'un mois, du 15 juillet 19.. au 14 août 19.. inclus.

3 Il est bien convenu, entre nous, que nous mis à notre disposition un garage, sans frais supplémentaires.

4 Veuillez trouver ci-joint un chèque de 1 500 francs, à valoir comme arrhes sur le montant total de la location, qui s'élève à 4 500 francs. Le solde vous en sera réglé le jour de notre arrivée, le 15 juillet 19..

5 Dans l'attente de votre réponse, je vous prie de recevoir, Monsieur, l'assurance de mes sincères salutations.

Bernard Valras

6 P.S. : Vous voudrez bien nous préciser où prendre les clés de l'appartement, le jour de notre arrivée.

RÈGLES DE LA LETTRE
FAMILLE ET AMIS
TRAVAIL ET EMPLOI
ARGENT ET IMPÔTS
JUSTICE
ADMINISTRATION

Location :
annulation d'une réservation

Vous êtes dans l'impossibilité de vous rendre sur votre lieu de location. Vous devez en informer le propriétaire, ou l'agence où vous aviez réservé le logement.

Présentation

☐ Écrivez sur une feuille de format standard. Précisez vos coordonnées. Envoyez votre lettre par courrier recommandé.

☐ Vous adressez votre lettre au propriétaire ou à l'agence qui avait enregistré votre réservation.

Quel doit être le contenu de votre lettre ?

1 Rappelez vos coordonnées.

2 Rappelez le lieu (adresse, numéro de chambre ou de place) que vous aviez réservé.

3 Rappelez les dates de votre séjour.

4 Annoncez clairement qu'un empêchement vous contraint à annuler la location prévue.

5 Dites, si c'est le cas, le montant des arrhes que vous avez versées.

6 Terminez avec une formule de politesse.

Annuler la réservation d'une chambre d'hôtel

> Je suis au regret d'annuler la réservation que j'avais effectuée, le 24 avril dernier, pour les nuits du 25 au 28 juillet.
> Je vous rappelle qu'il s'agissait de la chambre 16 et que j'avais versé 400 F d'arrhes.
> Veuillez recevoir, Monsieur, mes sincères salutations.

Annuler la réservation d'une place de camping

> Je vous avais réservé la place 23 de votre camping, pour la période du 14 juillet au 5 août.
> Un événement familial m'empêche de prendre des vacances, aussi je vous prie d'annuler cette réservation.
> Est-il possible de déduire une partie des arrhes versés (600 F) sur le montant d'un prochain séjour dans votre camping ?
> Avec mes regrets, recevez, Monsieur, mes sincères salutations.

Quelle différence y a-t-il entre des arrhes et un acompte ?

☐ L'acompte vous oblige à verser l'intégralité de la somme due, quelles que soient les circonstances qui vous obligeraient à annuler votre demande.

☐ Les arrhes ne vous obligent à rien. Vous les perdez si vous ne donnez pas suite à votre projet. On ne pourra pas, en cas d'annulation, vous demander de versement complémentaire.

☐ Une agence perçoit-elle un pourcentage sur les locations ? En général, le pourcentage varie avec la durée de la location et le montant du loyer (le pourcentage moyen est d'environ 8 %).

1 M. et Mme Francis Krawsick
18, rue Paillole
91400 ORSAY

Lettre recommandée
avec Accusé Réception

Agence Rivage
Le Bosquet
85100 Les Sables-d'Olonne

Orsay, le 20 juin 19..

Monsieur,

2
3 Le 20 février, nous vous avons réservé la villa « Marmousa », aux
Sables-d'Olonne, pour le mois d'août prochain.
4 Ma femme vient d'avoir un grave d'accident de santé et nous
serons dans l'impossibilité de nous déplacer. Nous sommes donc
au regret d'annuler cette location.

5 Nous vous avions versé 800 F d'arrhes. Serait-il possible de
reporter ces arrhes sur une location en octobre prochain ?
Location que je vous confirmerai dès que possible.

6 Espérant votre compréhension, recevez, Monsieur, l'assurance
de mes meilleurs sentiments.

Francis Krawsick

RÈGLES DE LA LETTRE

FAMILLE ET AMIS

TRAVAIL ET EMPLOI

ARGENT ET IMPÔTS

JUSTICE

ADMINISTRATION

Location : donner congé

Lorsque l'on est locataire, il faut avertir de son départ le propriétaire ou son représentant. Il s'agit là d'une formule légale et obligatoire : donner congé.

▬▬ Présentation

Écrivez sur une feuille de format standard 21 × 29,7. Envoyez la lettre de congé en envoi recommandé, avec accusé de réception. Vous adressez votre lettre au propriétaire des lieux que vous louez, ou à son représentant légal : agence ou administrateur de biens.

▬▬ Quel doit être le contenu de votre lettre ?

1 Indiquez votre nom, vos prénoms, et votre adresse précise : bâtiment, étage...

2 Précisez la date à laquelle vous vous engagez à quitter le logement.

3 Rappelez que vous désirez récupérer la caution, versée lors de votre entrée dans les lieux.

4 Demandez un rendez-vous pour établir l'état des lieux, au moment de votre départ.

5 Mentionnez que vous attendez une réponse.

6 Terminez par une formule de politesse.

▬▬ Quand peut-on prendre congé d'un logement ?

☐ À chaque date anniversaire du contrat, c'est-à-dire tous les 12 mois.

☐ À la fin du contrat initial : 3 ans ou 6 ans selon le bail.

☐ À tout moment pour des raisons financières personnelles, familiales, professionnelles, de santé. Le motif doit alors être précisé dans la lettre de congé.

▬▬ Quelle est la durée du préavis ?

Dans tous les cas, il faut avertir à l'avance de son départ. La lettre qui annonce la fin d'un séjour dans une location doit parvenir, au propriétaire ou à son représentant, trois mois avant le départ du locataire. Le préavis commence à partir de la réception, par le propriétaire, de la lettre de congé.

Toutefois, ce préavis peut être ramené à un mois en cas de mutation professionnelle ou de perte d'emploi.

Joignez, dans ce cas, à votre lettre un document qui justifiera de votre situation nouvelle.

▬▬ Quand la caution doit-elle être rendue par le propriétaire ?

La caution doit être restituée dans les deux mois qui suivent le départ du locataire.

Le propriétaire peut déduire de la caution des sommes lui restant dues. Toutefois il doit présenter un justificatif à son ancien locataire. Les sommes retenues peuvent couvrir les frais de remise en état des lieux ou la régularisation de loyers impayés.

> Je vous informe, par la présente lettre, mon intention de mettre fin au bail conclu avec vous.
> Compte tenu du délai de préavis de 3 mois, l'appartement 12, situé au n° 24 rue du Vieux-Pont à Rueil-Malmaison, sera libéré au plus tard le 31/01/19..
> Veuillez recevoir, Messieurs, mes salutations distinguées.

Sabine Bergwall
1 C, rue Vieilles-Perrières
25000 BESANÇON

Agence Lourmel
12, rue Leonel de Moustier
25000 Besançon

Lettre recommandée
avec A.R.

Besançon, le 25 mai 19..

Monsieur,

1 Mutée dans une autre ville de la région, je désire résilier le bail que j'ai signé le 1er janvier 19.. pour l'appartement situé :

1, rue Vieilles-Perrières,

premier étage, porte C.

2 Je m'engage à quitter les lieux le 31 août 19..

Nous pourrions convenir d'un rendez-vous, le samedi 30 août,

4 pour établir l'état des lieux.

Je compte sur votre diligence pour accélérer ensuite le

3 remboursement de la caution, versée lors de mon entrée dans ce logement.

5 Je vous serais reconnaissante de me signifier votre accord, par retour de courrier.

6 Dans cette attente, je vous prie d'agréer, Monsieur, l'expression de mes sentiments les meilleurs.

Sabine Bergwall

P.J. : Photocopie de mon avis de mutation.

RÈGLES DE LA LETTRE
FAMILLE ET AMIS
TRAVAIL ET EMPLOI
ARGENT ET IMPÔTS
JUSTICE
ADMINISTRATION

Autorisation parentale

Les mineurs, par définition, sont « incapables » jusqu'à leur majorité fixée à 18 ans ; c'est-à-dire que leur signature n'a aucune valeur légale pour se marier, s'engager dans l'armée, quitter le territoire français, etc.

■■■ Présentation

Écrivez sur papier libre. Précisez au milieu et en haut de la feuille qu'il s'agit d'une autorisation parentale. Vous pouvez aussi utiliser un formulaire spécial, délivré par l'administration ou l'établissement concerné.

En principe, lorsqu'il s'agit d'une autorisation de sortie du territoire, les services préfectoraux ou municipaux se chargent de remplir un formulaire. Le père ou la mère, ou la personne investie du droit de garde, doit fournir une pièce d'identité, le livret de famille et la carte d'identité nationale de l'enfant.

■■■ Que doit préciser votre autorisation ?

Sauf exceptions, l'autorité parentale est assurée par le père et la mère. C'est l'un ou l'autre qui rédige l'autorisation. Précisez :

1 Au milieu : autorisation parentale.

2 Votre état civil, votre date et lieu de naissance : « Je soussigné Monsieur Paul Lorent, né le 4 août 1945 à Paris 8e ».

3 Votre adresse : « demeurant 55, rue Jules Chatenay 93380 Pierrefitte/Seine ».

4 Votre qualité : « agissant en qualité de père ».

5 Votre accord : « autorise mon fils ».

6 Le nom et le prénom de l'enfant, ainsi que la date et le lieu de sa naissance : « Philippe Lorent, né le 26 janvier 1977 à Pierrefitte/Seine ».

7 L'objet de l'autorisation : « à s'engager dans l'armée française ».

8 La formule légale certifiant votre autorité parentale : « J'atteste sur l'honneur avoir le plein exercice de l'autorité parentale » ou bien, « J'atteste sur l'honneur avoir le plein exercice de la tutelle légale » (en cas de décès des parents naturels).

9 Datez et signez.

■■■ Qui exerce de plein droit l'autorité parentale ?

Le père et la mère. En cas de divorce ou de séparation, le parent qui a obtenu le droit de garde ou les deux parents conjointement, sur décision du juge des tutelles.

■■■ Où faire certifier conforme une autorisation parentale ?

Généralement à la mairie, mais aussi au commissariat de police de son domicile. Munissez-vous d'une pièce d'identité et de votre livret de famille. Si les parents sont divorcés, il faut également fournir l'extrait du jugement de divorce. La signature de l'autorisation parentale s'effectue sur place. La gratuité est totale et la certification immédiate.

AUTORISATION PARENTALE

Je soussigné Daniel Touti, né le 21 décembre 19.. à Paris (5e), domicilié 6 place du 11 Novembre à Marseille, agissant en qualité de père, autorise mon fils Thomas Touti, né le 2 mai 19.. à Marseille, à accompagner sur les marchés M. Michel Verdon, maraîcher, demeurant 5 rue de l'Estampe à Marseille, afin de participer à la vente de fruits et légumes.
J'atteste avoir le plein exercice de l'autorité parentale à l'égard de cet enfant.
Cette autorisation est valable pour la période du 1er au 31 juillet 19.., à raison de trois demi-journées par semaine.
Fait, à Marseille, le 15 juin 19..

Daniel Touti

---

1 *Autorisation parentale*

2 *Je soussignée Valérie Giraud, née le 22 juin 19.., demeurant*
3 *au Mesnil-le-Roi, 32, boulevard Littré (78600), agissant en*
4 5 *qualité de mère, autorise mon fils, François, Paul Giraud, né*
6 *le 3 mai 19.. à Saint-Germain (78100) et titulaire du compte*
N° 2578307 à l'agence bancaire du Crédit de France du
7 *Mesnil-le-Roi, à se faire délivrer un chéquier.*

8 *J'atteste sur l'honneur avoir le plein exercice de l'autorité*
parentale à l'égard de cet enfant.

9 *Le 5 janvier 19..*

V. Giraud

---

1 *Autorisation parentale*

2 *Je soussignée Christiane Simenon, née le 27 février 19.. à*
3 *Amiens, demeurant 46 impasse de la Concorde à Rouen (76),*
4 *agissant en qualité de mère, autorise ma fille Ghislaine Nina,*
5 *née le 19 juillet 19.. à Rouen, à devenir membre de*
6 *l'association Ville à Ville, relevant de la loi de 1901.*
7 *J'atteste sur l'honneur avoir le plein exercice de l'autorité*
8 *parentale à l'égard de cette enfant ; vous trouverez joint à ce*
document la photocopie certifiée conforme de l'expédition de
mon jugement de divorce.

Fait à Rouen
le 12 décembre 19..

9

Christiane Simenon

RÈGLES DE LA LETTRE

FAMILLE ET AMIS

TRAVAIL ET EMPLOI

ARGENT ET IMPÔTS

JUSTICE

ADMINISTRATION

Lettre d'excuse pour une absence scolaire

Votre enfant a été absent ou doit s'absenter de son établissement ou de son centre de formation. Il est nécessaire de l'excuser auprès de l'administration scolaire.

■ Présentation

Écrivez lisiblement sur une feuille blanche format libre ou sur une carte de visite. Indiquez vos coordonnées : vos nom, prénom, adresse et numéro de téléphone.

■ À qui adressez-vous votre lettre ?

Au directeur de l'établissement que fréquente votre enfant : « Monsieur le Directeur ou Madame la Directrice » s'il s'agit d'une école primaire. Pour les établissements du secondaire, adressez votre lettre au conseiller principal d'éducation, responsable de la classe de votre enfant.

■ Quel doit être le contenu de votre lettre ?

1 Indiquez clairement le nom, le prénom et la classe de votre enfant.
2 Précisez entre quelle date et quelle date votre enfant a été, ou bien sera absent.
3 Exposez brièvement et simplement le motif de l'absence.
4 Terminez par une formule de politesse.

■ Faut-il toujours excuser l'absence d'un enfant par lettre ?

Les règlements diffèrent en fonction des établissements scolaires et du nombre de journées d'absence.
À l'école primaire, il est nécessaire de faire une lettre d'excuse. Dans le secondaire, qu'il s'agisse d'un collège ou d'un lycée, il existe en général, dans le carnet de correspondance de chaque élève, une partie réservée aux absences. Cette dernière est constituée de talons détachables que vous devrez remplir, et que votre enfant présentera à son retour dans l'établissement. Ces talons détachables sont en quelque sorte des lettres d'excuse préimprimées, qui contiennent le minimum de renseignements destinés à l'administration scolaire. Si l'absence de votre enfant pose un problème particulier, joignez au talon détachable une lettre explicative.

■ Le certificat médical est-il obligatoire ?

Il est d'usage de le joindre (ou du moins sa photocopie), pour une absence supérieure à deux jours. Certains règlements intérieurs exigent, après une maladie contagieuse, un certificat médical attestant que l'enfant n'est plus contagieux. Par ailleurs, de plus en plus d'établissements du second cycle demandent un certificat médical lors d'une absence à un devoir sur table.

■ Des absences non justifiées peuvent-elles avoir des conséquences ?

En dehors du fait que l'enfant perd le bénéfice d'une scolarité suivie, des mesures d'exclusion temporaire et même définitive (si votre enfant a seize ans révolus) peuvent intervenir.
De plus, les autorités scolaires sont susceptibles de signaler ces absences à la Caisse d'allocations familiales qui suspendra, éventuellement, vos allocations.

■ Un mot d'excuse est-il suffisant ?

Non, et particulièrement lorsqu'il s'agit d'une absence prolongée (au-delà d'un jour). Il est toujours préférable de téléphoner le premier jour de l'absence à l'établissement où l'on ignore si vous êtes au courant de l'absence de votre enfant.

Georges Calda
15, rue des Réservoirs
78000 Versailles

Versailles, le 26 janvier 19..

Madame la Directrice,

1
2
Je vous prie de bien vouloir excuser ma fille, Adeline CALDA, classe de CM2^4, pour son absence du lundi 20 au samedi 26 janvier 19..

3
Pour hâter la guérison d'une sévère bronchite, le médecin avait prescrit un repos complet. Vous trouverez ci-joint son certificat médical.

4
Veuillez croire, Madame la Directrice, à mes sentiments respectueux.

G. Calda

RÈGLES DE LA LETTRE
FAMILLE ET AMIS
TRAVAIL ET EMPLOI
ARGENT ET IMPÔTS
JUSTICE
ADMINISTRATION

Demande de stage en entreprise

Souvent obligatoires, les stages en entreprise permettent de compléter une formation scolaire. Envoyez vos lettres en temps voulu, car les demandes de stages sont supérieures aux postes proposés.

▬▬ Présentation

Écrivez sur une feuille blanche de format standard 21 × 29,7. Indiquez l'objet de votre lettre : « Demande de stage ». Soignez la présentation, car votre correspondant vous jugera autant sur la forme que sur le contenu de votre lettre. Si votre écriture n'est pas très lisible, préférez une lettre dactylographiée.

▬▬ À qui adresser votre lettre ?

Pour une grande entreprise : à « Monsieur le Directeur du personnel ».
Pour une administration : à « Monsieur le Chef du personnel ».
Pour une P.M.E. ou une P.M.I. : à « Monsieur le Directeur ».
Pour une entreprise artisanale ou un petit commerce, utilisez le nom de la personne responsable, « Monsieur Robin » par exemple.

▬▬ Quel doit être le contenu de votre lettre ?

1 Indiquez la formation scolaire que vous poursuivez, ou que vous avez suivie (nature des études et établissement fréquenté).
2 Précisez si vous avez déjà effectué des stages professionnels et dans quel domaine d'activité.
3 Exprimez votre demande de stage. Signalez à votre correspondant si le stage doit faire l'objet d'un rapport, dans le cadre de vos études.
4 Motivez votre demande. Exposez brièvement pourquoi vous aimeriez faire un stage dans cette entreprise. Précisez vos centres d'intérêt et le service au sein duquel vous aimeriez travailler.
5 Proposez les périodes qui vous conviendraient pour faire ce stage.

6 Concluez votre lettre, en soulignant que vous attendez une réponse.

▬▬ Exemple de formulation

Je prépare actuellement un DEUG de droit à l'université de Nanterre, et j'aimerais mettre à profit la période des vacances scolaires en effectuant un stage professionnel.
A l'issue de ma première année de formation juridique, j'ai travaillé dans le service de règlement des litiges d'un important cabinet immobilier.
Je souhaiterais aujourd'hui avoir une approche concrète de vos activités, afin de confirmer mon choix de spécialisation en droit des affaires.
Vous serait-il possible de me proposer un stage cet été, durant le mois de juillet ou d'août ?
Dans l'attente de votre réponse, je vous prie d'accepter, Maître, l'expression de mes sentiments distingués.

▬▬ Que faire si vous n'obtenez pas de réponse ?

Le silence de votre correspondant ne signifie pas obligatoirement un refus de sa part. Passé un mois sans réponse, relancez l'entreprise par téléphone ou par lettre, en précisant la date et les termes de votre première demande.

▬▬ Est-on rémunéré à l'issue du stage ?

En principe, aucune rémunération n'est prévue. Toutefois, des indemnités, dont le montant est laissé à l'appréciation de l'entreprise, peuvent être versées au stagiaire.

MODÈLE DE LETTRE

Eric Nevers
25, rue des Noyers
78520 Limay

Monsieur Stéphane Brissard
15, place de la République
78200 Mantes-la-Jolie

Objet : Demande de stage

Mantes-la-Jolie, le 2 février 19..

Monsieur,

1 Étudiant en bac de technicien, option jardin espace vert, au lycée horticole d'Orgeval, je dois effectuer un stage professionnel pour compléter ma formation scolaire.

Titulaire d'un Brevet professionnel d'art floral, je m'intéresse
4 particulièrement à l'art japonais. Votre entreprise, qui a
3 plusieurs fois été citée pour ses réalisations, pourrait, si vous l'acceptiez, être le thème de mon mémoire.

Pourriez vous m'accueillir, comme stagiaire, pour une durée de
5 5 semaines, à compter du 23 juin prochain ?

6 Dans l'attente de votre réponse, je vous prie d'agréer, Monsieur, l'expression de mes sincères sentiments.

Éric Nevers

RÈGLES DE LA LETTRE
FAMILLE ET AMIS
TRAVAIL ET EMPLOI
ARGENT ET IMPÔTS
JUSTICE
ADMINISTRATION

Lettre de recommandation

Rédiger une lettre de recommandation est une démarche qui engage votre responsabilité. Assurez-vous que la personne en faveur de qui vous agissez présente certaines garanties professionnelles et morales.

■ Présentation

Écrivez sur une feuille de format standard 21 × 29,7.
Une lettre manuscrite est préférable lorsque vous souhaitez personnaliser un peu plus votre démarche.

■ À qui adresser votre lettre ?

À la personne, relation professionnelle ou ami, susceptible d'embaucher celui ou celle que vous recommandez.
Confiez votre lettre à la personne en faveur de qui vous intervenez, ou envoyez-la par courrier simple à votre correspondant.

■ Quel doit être le contenu de votre lettre ?

Employez un ton, formel ou plus familier, en fonction des rapports que vous entretenez avec le destinataire.
1 Annoncez, dès le premier paragraphe, l'objet de votre lettre. Si vous savez que votre correspondant cherche à pourvoir tel poste dans son entreprise, précisez-le. « Georges B... m'a appris que tu cherchais actuellement un chef de travaux, et m'a demandé d'appuyer sa démarche. »
2 Indiquez les circonstances professionnelles au cours desquelles vous avez pu apprécier la valeur de la personne en faveur de qui vous intervenez. « Laurent M. a travaillé pendant trois ans comme agent de maintenance dans mon établissement. »
3 Si vous n'avez jamais entretenu de rapports professionnels avec la personne que vous recommandez, précisez la nature de vos relations. « Olivier L... est un ami de longue date en qui j'ai toute confiance. »

4 Citez brièvement la formation et les compétences professionnelles de cette personne. « Le jeune Philippe L... vient de terminer ses études de commerce international. »
5 Décrivez la personnalité et les qualités de la personne que vous recommandez. « C'est un jeune homme intelligent et travailleur, qui a le sens des responsabilités, et qui sait établir d'excellents contacts humains. »
6 Exprimez votre conviction de recommander une personne de valeur. « Je pense sincèrement que vous n'aurez qu'à vous louer de ses services. »
7 Remerciez à l'avance votre correspondant.

■ Recommandation pour un proche

Je sais que tu recherches actuellement une personne de confiance pour te décharger de certaines tâches administratives.
La fille de mon ami Bernard Cortez vient de terminer un BTS de secrétariat de direction. Elle te remettra personnellement cette lettre.
Je la connais depuis sa tendre enfance, et peux t'assurer que c'est une jeune fille de valeur, sérieuse et motivée, qui a déjà effectué plusieurs stages en entreprise.
Je pense sincèrement qu'elle saurait te seconder efficacement, et te remercie de ce que tu pourras faire pour elle.
Amicalement à toi.

Si vous avez bénéficié d'une recommandation, il est indispensable d'envoyer une lettre de remerciement à la personne qui s'est chargée d'appuyer votre démarche.

MODÈLE DE LETTRE

Serge Josselin
25, rue Marceau
29400 Landivisiau

Société Golet
A l'attention de Mme Cholet
51, rue du Square
29200 Brest

Landivisiau, le 5 mai 19..

Chère Madame,

1 Ghyslaine Krasniavski, qui vous a contactée de ma part, m'a demandé d'appuyer sa démarche auprès de vous, ce que je fais bien volontiers.

2 Madame Krasniavski, qui exerçait chez nous les fonctions de documentaliste au sein du service presse, fait partie du

3 personnel dont nous avons dû nous séparer pour des raisons

4 purement économiques. C'est une jeune femme intelligente et

5 organisée, qui maîtrise parfaitement son métier et l'exerce avec bonne humeur.

6 Sachant que vous êtes toujours à la recherche de collaborateurs efficaces, j'ai tout de suite pensé à vous l'adresser.

7 En vous remerciant à l'avance de ce que vous pourrez faire pour elle, je vous prie d'accepter, Chère Madame, l'expression de ma respectueuse sympathie.

Serge Josselin

RÈGLES DE LA LETTRE

FAMILLE ET AMIS

TRAVAIL ET EMPLOI

ARGENT ET IMPÔTS

JUSTICE

ADMINISTRATION

Lettre de candidature spontanée

Elle consiste à proposer directement ses services aux entreprises en vue d'obtenir un emploi. Cette démarche prouve votre motivation. Votre curriculum vitae accompagne la lettre de candidature.

■■ Présentation

Sur une feuille blanche, format 21 × 29,7. Votre lettre doit être manuscrite et agréable à lire : équilibrez votre texte dans la page (en respectant les marges), et aérez-le (utilisez un paragraphe pour chaque point développé). Une orthographe parfaite est indispensable. Rappelez vos références en haut à droite de la page : nom, prénom, adresse et numéro de téléphone.

■■ À qui adresser votre lettre ?

Pour une grande entreprise :
à « Monsieur le Directeur du personnel ».
Pour une administration :
à « Monsieur le Chef du personnel ».
Pour une P.M.E. ou une P.M.I. :
à « Monsieur le Directeur ».
Pour une entreprise artisanale ou un petit commerce, utilisez le nom de la personne responsable, si vous le connaissez.

■■ Quel doit être le contenu de votre lettre ?

Votre lettre doit être personnalisée. Ne rédigez pas une lettre type à adresser à différentes entreprises. Personnaliser la lettre, c'est connaître l'entreprise à laquelle vous vous adressez et essayer, autant que possible, de montrer que vous pouvez lui être utile.

1 Dans un premier paragraphe, vous devez montrer que vous connaissez l'entreprise. N'hésitez pas à vanter son dynamisme, la qualité de ses produits ou de ses prestations, ou encore ses méthodes de travail.
Si vous avez la chance d'être recommandé par une personne travaillant déjà dans l'entreprise, signalez-le. « Madame Guigues, Chef comptable au sein de votre société, m'a cha-

leureusement décrit l'ambiance de travail qui règne dans vos services, où un esprit d'équipe dynamise l'ensemble du personnel. »

2 Si vous avez suffisamment de renseignements sur l'entreprise et sur ses projets d'avenir, montrez-le. Mettez en évidence en quoi l'entreprise peut être intéressée par votre candidature. « J'ai appris que vous alliez étendre votre secteur géographique d'activité. »

3 Dans le second paragraphe, exprimez votre désir de travailler dans l'entreprise. « Cherchant à réussir dans le domaine de la vente, il me semble que votre entreprise serait le cadre idéal pour y arriver. »

4 Développez ensuite un ou plusieurs points forts concernant votre expérience professionnelle, votre formation ou votre projet professionnel, en rapport avec les besoins de l'entreprise. Vous pouvez ainsi insister sur vos qualités personnelles (goût des contacts humains, esprit méthodique, volonté de s'investir dans la profession). N'hésitez pas à jouer cartes sur table : « Mon expérience est peu importante, mais j'ai la volonté de m'investir dans un travail motivant et évolutif. »

5 Exprimez, dans le dernier paragraphe, votre disponibilité pour un rendez-vous.

6 Concluez par une formule de politesse.

■■ Où trouver des informations sur les entreprises ?

À l'ANPE, dans les Chambres de commerce et d'industrie, les syndicats et les fédérations patronales. Dans les annuaires professionnels.

MODÈLE DE LETTRE

Isabelle Bouffiargues
12, rue des Glycines
92700 Colombes
Tél. : 21.42.66.15

Monsieur Maréchal
Immobilière 2000
23, avenue St-Germain
78600 MAISONS-LAFFITTE

Colombes, le 24 janvier 19..

Monsieur,

1 A Maisons-Laffitte, et dans l'ensemble du département des Yvelines, la réputation de votre agence immobilière est à la mesure de la

2 qualité de ses prestations. J'ai appris que, par souci d'efficacité, vous étiez sur le point d'adopter un nouveau système de gestion informatique.

3 Je souhaiterais mettre au service de ce développement ma disponibilité et mon dynamisme. Animatrice d'un club

4 informatique, j'ai une formation assez complète en ce domaine. Je possède également des bases solides en gestion.

5 Je me tiens donc à votre disposition, si ma candidature vous intéresse, pour convenir d'un entretien.

6 Je vous prie d'agréer, Monsieur, l'expression de mes sentiments les meilleurs.

Isabelle Bouffiargues

RÈGLES DE LA LETTRE

FAMILLE ET AMIS

TRAVAIL ET EMPLOI

ARGENT ET IMPÔTS

JUSTICE

ADMINISTRATION

Lettre de candidature à un emploi

La lettre de candidature complète le curriculum vitae, dont elle développe certains aspects, en relation directe avec les demandes formulées dans l'annonce.

▬ Présentation

Écrivez sur une feuille blanche, format 21 × 29,7. Envoyez toujours l'original. La lettre doit impérativement être écrite à la main pour permettre éventuellement une analyse graphologique (étude du caractère et de la personnalité d'un individu, à travers son écriture). Soignez votre écriture, mais restez naturel.

La lecture de votre lettre doit être agréable : équilibrez votre texte dans la page (en respectant une marge à droite et à gauche), et aérez-le (utilisez un paragraphe pour chaque point développé). Une orthographe parfaite est indispensable.

Rappelez, en haut et à gauche, vos nom, prénom, adresse et numéro de téléphone, car la lettre de candidature et le C.V. sont deux documents différents.

En haut et à droite, indiquez le nom et l'adresse de l'entreprise à laquelle vous vous adressez. Rappelez le numéro de l'annonce si vous écrivez à un journal. Indiquez l'objet de votre lettre : « Lettre de candidature à l'emploi de... » ou « Votre annonce, Le Figaro du 10 avril 19.. ».

▬ À qui adresser votre lettre ?

À « Monsieur le Directeur du personnel », pour une entreprise de plus de 200 employés. À « Monsieur le Directeur » pour une P.M.E. (petite ou moyenne entreprise).

▬ Quel doit être le contenu de votre lettre ?

La lettre de candidature doit être personnalisée. Suivez donc quelques règles élémentaires pour la rédiger, mais vous pouvez aussi être original car votre but est de retenir l'attention du lecteur.

1 Dans un premier paragraphe, faites référence à l'annonce, en citant le nom du journal et sa date de parution, ainsi que la nature de l'emploi pour lequel vous êtes candidat.

2 Dans un second temps, développez les points importants de votre C.V., en rapport avec les demandes de la petite annonce. « Au cours de différents stages professionnels, j'ai acquis une bonne maîtrise des logiciels de conception assistée par ordinateur que vous utilisez. » ;
« Stimulé par le travail d'équipe, je souhaite rejoindre une structure à taille humaine, telle que la vôtre. Je suis disposé à m'investir pleinement dans votre projet culturel... » ;

3 Dans une troisième partie, exprimez votre disponibilité. « Je me tiens à votre disposition pour un entretien... ».

4 N'oubliez pas la formule de politesse.

5 Pièce jointe. N'oubliez pas de joindre à la lettre de candidature votre curriculum vitae.

▬ Modèle de lettre

> Intéressé par le poste de représentant que vous cherchez à pourvoir, je vous prie de trouver ci-joint mon curriculum vitae.
> Commercial depuis plus de dix ans dans le secteur agro-alimentaire, je cherche actuellement à donner une nouvelle impulsion à ma carrière professionnelle, en intégrant une structure dynamique et compétitive qui dispose d'une gamme de produits novateurs.
> Homme de terrain, actif et bon négociateur, je vous propose de nous rencontrer afin d'envisager une future collaboration.
> Je vous prie d'accepter, Monsieur le Directeur, l'expression de mes salutations distinguées.

Caroline Mérignac
141, Bd Jean-Jaurès
78800 HOUILLES
Tél. : 35.70.22.11

Bureau d'études TRAC
9, rue du Maréchal-Foch
78690 Fauqueuse

Objet : Candidature
à l'emploi de secrétaire

Houilles, le 10 janvier 19..

Monsieur le Directeur,

1 Suite à l'annonce parue, ce jour, dans France-Soir, je me permets de vous adresser mon curriculum vitae pour le poste de secrétaire.

2 Je suis à la recherche d'un emploi qui puisse me permettre de développer mes qualités d'organisation. Je suis dynamique et motivée : vous apprécierez l'efficacité et le sérieux dont je fais preuve dans mon travail.

3 En espérant que ma proposition retiendra votre attention, je me tiens à votre disposition pour un entretien, au jour et à l'heure qui vous conviendront.

4 Je vous prie d'agréer, Monsieur le Directeur, l'expression de mes sentiments distingués.

Caroline Mérignac

5 Pièce jointe : Curriculum vitae

RÈGLES DE LA LETTRE

FAMILLE ET AMIS

TRAVAIL ET EMPLOI

ARGENT ET IMPÔTS

JUSTICE

ADMINISTRATION

Curriculum vitae

Le curriculum vitae doit avoir comme but d'obtenir un rendez-vous pour un entretien. Le C.V. présente votre vie scolaire et professionnelle ; il doit être une bonne image de ce que vous êtes. Toujours accompagné de votre lettre de candidature, écrite à la main, c'est souvent à sa lecture que se décide un rendez-vous.

■■■ Présentation

Utilisez une feuille blanche de format standard 21 × 29,7. Le C.V. nécessite une frappe à la machine. N'utilisez jamais le verso de votre feuille. Pensez à aérer au maximum le texte, en faisant des paragraphes, et en utilisant toute la place disponible. Une orthographe parfaite est indispensable.

Envoi par courrier simple avec la lettre de candidature. Il est inutile, dans cette première étape, de joindre vos diplômes.

■■■ La préparation de votre texte

Pour que votre C.V. ait un maximum d'efficacité, vos points forts doivent apparaître immédiatement. Décortiquez précisément le texte de l'offre d'emploi, en vous posant la question suivante : quelles sont les demandes de l'employeur (un diplôme particulier, une expérience professionnelle ou un état d'esprit) ?

■■■ Le contenu de votre C.V.

1 En haut et à gauche de la page, indiquez vos nom et prénom, votre adresse, votre numéro de téléphone, votre âge. Si vous estimez que cela peut-être utile, précisez si vous êtes marié ou célibataire.

2 Donnez les diplômes les plus élevés pour une même spécialité et leur date d'obtention. Si vous n'avez pas de diplôme, donnez votre niveau de fin d'études.

3 Ne citez, en les décrivant brièvement, que les expériences les plus intéressantes pour l'employeur éventuel.

Donnez les périodes ou dates de ces expériences professionnelles. Citez précisément les entreprises qui vous ont employé.

N'hésitez pas à citer les stages de formation que vous auriez pu suivre.

4 Une sous-rubrique évoquant des activités d'attente peut prouver votre dynamisme.

5 Il s'agit de mettre en évidence des expériences et des compétences différentes de celles exprimées plus haut. Vous éclairerez le recruteur sur votre personnalité.

Vous pouvez préciser vos objectifs professionnels. Surtout ne faites jamais état d'un salaire minimum, ce problème intervient après un premier contact.

■■■ Le C.V. thématique

Si vous avez des expériences professionnelles complémentaires dans différents domaines d'activité, adoptez une présentation qui met en valeur vos différentes compétences.

Expérience professionnelle

En techniques industrielles

De 19.. à 19..
— Agent de maîtrise en laboratoire d'essais (4 ans)
Analyse de granulats. Études de base sur le béton et ses composants.
— Technicien de préparation (6 ans)
Mise au point et industrialisation de nouvelles gammes de matériaux composites.

Ets Blain à Aix-en-Provence

En informatique

19..
— Cadre stagiaire (6 mois)
Conception des systèmes informatiques de production.

BAT 2000 à Istres

Depuis juillet 19.. :
— Technicien informatique
Étude et mise au point de logiciels d'application de contrôle sur IBM.

Milton SA à Aix-en-Provence

MODÈLE DE C.V.

1
Caroline Mérignac
141 Bd Jean-Jaurès
78800 HOUILLES
Tél. : 35.70.22.11
Née le 10.07.19..

2 FORMATION

Niveau DEUG de droit - Paris X
BAC série G1 - Académie de Versailles

3 EXPÉRIENCE PROFESSIONNELLE

Secrétaire commerciale
Chargée de la gestion des stocks et du suivi clientèle à la
Société Duverger à Marly-le-Roi.

Secrétaire
Chargée de l'accueil et de la correspondance clients.
Tenue des fichiers informatisés à l'Agence Immobilière Rémy,
à Versailles.

Stage A.F.P.A.
Les techniques de classement.

4 ACTIVITÉ D'ATTENTE

Juillet à septembre 19.. - Ouvreuse au cinéma Rex de
Sartrouville.

5 DIVERS

Monitrice à l'école de voile de Cergy.
Animatrice du club informatique à la M.J.C. de Houilles.

RÈGLES DE LA LETTRE
FAMILLE ET AMIS
TRAVAIL ET EMPLOI
ARGENT ET IMPÔTS
JUSTICE
ADMINISTRATION

Demande de congé

Le congé est une autorisation d'absence, parfois rémunérée, qui permet à un salarié de suspendre momentanément son activité dans une entreprise. La demande de congé est réglementée par le code du travail, mais reste, dans la plupart des cas, subordonnée à l'accord de l'employeur.

▄▄ Présentation

Écrivez sur une feuille format standard 21 × 29,7. De préférence, envoyez votre demande par lettre recommandée avec accusé de réception.

▄▄ À qui adresser votre lettre ?

À votre employeur. Prendre un congé pour élever son enfant, pour convenances personnelles, pour créer une entreprise, pour suivre un stage de formation professionnelle, nécessite une demande par écrit.

▄▄ Quel doit être le contenu de votre lettre ?

1 Expliquez, en en formulant la demande, la nature du congé.

2 Précisez la durée prévue du congé.

3 Mentionnez la date de début du congé.

> J'ai l'honneur de solliciter un congé parental d'éducation pour une période d'un an.
> Ce congé parental prendrait effet le 26 juin 19.., à l'issue de mon congé maternité.
> Dans l'attente de votre accord, je vous prie de croire, Madame, à l'assurance de mes sentiments dévoués.

	Congé parental	Congé sabbatique et congé pour création d'entreprise	Congé formation
Délai à respecter pour l'envoi de la lettre	- 1 mois avant la fin du congé de maternité (pour la femme). - 2 mois avant le début supposé du congé parental (pour l'un des membres du couple).	- 3 mois avant la date prévue.	- si la durée du stage est inférieure ou égale à 6 mois, le délai sera de 30 jours ; - si la durée du stage est supérieure à 6 mois et s'effectue en une seule fois, le délai sera de 60 jours.
Durée maximale du congé	3 ans.	- de 6 à 11 mois pour le congé sabbatique. - 1 an pour le congé création d'entreprise (congé qui peut être prolongé d'un an).	- si le stage est continu, la durée peut aller jusqu'à 1 an ; - si le stage est fractionné dans le temps, la durée totale pourra être de 1 200 heures.
Rémunération	non rémunéré par l'employeur.	non rémunérés par l'employeur.	rémunération partielle ou totale par l'employeur.
Accord	Par lettre. Sans réponse après 3 semaines, l'accord est acquis.	Par lettre. Sans réponse après 30 jours, l'accord est acquis.	Par lettre. L'employeur a 10 jours pour vous répondre.
Refus	Possible dans une entreprise de moins de 100 salariés. Le refus doit être motivé.	Possible dans une entreprise de moins de 200 salariés. Le refus doit être motivé. (Sans refuser, l'employeur peut repousser votre congé à une date ultérieure.)	Sans refuser, l'employeur peut reporter votre congé à une date ultérieure.

Jean Layol
44, rue de Maubeuge
75009 PARIS

Monsieur Martin
Librairie technique
16, rue de Turin
75008 Paris

<u>Lettre recommandée</u>
<u>avec A.R.</u>

Objet : demande de
congé sabbatique.

Paris, le 28 avril 19..

Monsieur,

1
2 J'ai l'honneur de solliciter un congé pour convenances
personnelles d'une durée de six mois.

3 Mes congés annuels étant prévus du 1er au 31 août 19.., ce
congé sabbatique prendrait effet à partir du 1er septembre
prochain.

Dans l'attente de votre réponse, et me tenant à votre
disposition pour tous renseignements complémentaires, je vous
prie de croire, Monsieur, à mes sentiments dévoués.

Jean Layol

RÈGLES DE LA LETTRE
FAMILLE ET AMIS
TRAVAIL ET EMPLOI
ARGENT ET IMPÔTS
JUSTICE
ADMINISTRATION

Demande d'augmentation

Vous avez l'impression que votre valeur professionnelle n'est pas reconnue par votre employeur, et qu'ainsi votre traitement n'a pas été suffisamment relevé. Manifestez-vous, par une demande d'augmentation de votre salaire.

Présentation

Écrivez sur une feuille blanche, format standard 21 × 29,7. Précisez votre nom, votre fonction et vos références dans l'entreprise. Datez.

À qui adresser votre lettre ?

Dans la plupart des cas, adressez votre lettre à la personne qui détient le pouvoir de décision dans l'entreprise (P.-D.G., directeur, chef de service).

Cependant, dans certaines grandes entreprises, il peut être nécessaire de passer par la voie hiérarchique (directeur du personnel).

Quel doit être le contenu de votre lettre ?

Gardez un ton courtois, quelles que soient vos revendications. Chaque demande est un cas particulier. Réfléchissez aux arguments que vous pouvez avancer.

1 Rappelez votre position dans l'entreprise, vos états de service et leur durée.

2 Énumérez les tâches que vous avez menées à bien, les services que vous avez rendus à l'entreprise. Il s'agit de justifier votre demande, et donc de prouver votre valeur professionnelle : « Les missions délicates que vous m'avez confiées ont abouti aux résultats escomptés. »

« J'ai accepté de suivre une formation professionnelle complémentaire afin de réorganiser le service de gestion du personnel. »

3 Si des promesses d'augmentation vous ont été faites verbalement, rappelez-le : « Lorsque vous m'avez engagé, il était entendu qu'au bout d'un an, vous reconsidéreriez le montant de mes appointements, si cette période d'essai se montrait concluante. »

4 Exprimez clairement votre demande d'augmentation de salaire en vous reportant au jugement de votre supérieur hiérarchique.

5 N'oubliez pas la formule de politesse.

Les erreurs à éviter

L'emploi d'un ton larmoyant, ou, à l'opposé, trop impératif est à éviter.

La mise en demeure, comme la mise en cause de la responsabilité d'un collaborateur ou d'un supérieur, doivent être proscrits. Évitez également toute remise en cause de l'organisation de la société qui vous emploie. La demande d'augmentation ne doit pas se traduire par une menace de démission en cas de refus.

Afin d'écarter toute erreur d'interprétation, soignez particulièrement la précision de votre vocabulaire. En conservant un vocabulaire courant, il faut s'attacher à trouver le mot juste pour traduire exactement votre pensée.

Je me permets de vous rappeler notre entretien du mois dernier. J'ai été muté voici trois mois dans le service marketing, à un poste de responsabilité.

En dehors des augmentations légales, mes appointements n'ont fait l'objet, à ce jour, d'aucune modification.

Aussi, je compte sur une prochaine intervention de votre part, comme nous en étions convenus verbalement.

Vous remerciant par avance, je vous prie de recevoir, Monsieur le Directeur, mes salutations distinguées.

Michel Langel
Responsable de la promotion
Département publicité

Le 5 janvier 19..

Monsieur le Directeur,

1 Depuis sept ans au service de votre société, j'ai occupé différents postes aux responsabilités chaque fois plus
2 importantes. Ces deux dernières années, j'ai exercé les fonctions de responsable de la promotion sans jamais avoir encouru le moindre reproche de la part de mes supérieurs. Durant cette période, l'impact de nos produits a augmenté de quatre pour cent.

Or, mon statut est toujours celui de cadre stagiaire et mon salaire inchangé, hormis les revalorisations liées au coût de la vie.

4 Aussi, je vous prie, Monsieur le Directeur, de bien vouloir prendre en considération un éventuel réajustement de mes
? appointements, comme il me le fut promis avant que je n'exerce mes nouvelles fonctions.

5 Veuillez agréer, Monsieur le Directeur, l'expression de mes sentiments dévoués.

Michel Langel

RÈGLES DE LA LETTRE

FAMILLE ET AMIS

TRAVAIL ET EMPLOI

ARGENT ET IMPÔTS

JUSTICE

ADMINISTRATION

Certificat de travail

Le certificat de travail justifie d'une activité salariée dans une entreprise. Il est délivré par l'entreprise à la demande de l'employé lui-même.
Certains organismes, l'ANPE, la Caisse primaire d'assurance maladie par exemple, le réclament.

■■■ Présentation

Le certificat doit être écrit lisiblement, ou mieux, tapé à la machine : soit sur papier libre, de format standard 21 × 29,7, soit sur papier à en-tête de l'entreprise.

■■■ Quel doit être le contenu du certificat ?

1 La formule : « Je soussigné... », nom, prénom, adresse et fonction de l'entrepreneur.
2 La déclaration qui certifie clairement avoir employé la personne.
3 La nature de l'emploi qu'a occupé ou qu'occupe encore l'employé concerné.
4 Les dates d'entrée, et éventuellement de sortie, du salarié dans l'entreprise.
5 Les nom, prénom et adresse de l'employé.
6 Date et signature.
7 L'adresse de l'employeur, si le certificat est rédigé sur papier libre.

■■■ Peut-on refuser de faire un certificat de travail ?

Non, tout salarié a le droit d'obtenir un certificat de travail de son employeur, à tout moment de son activité au sein de l'entreprise ou après l'avoir quittée. En cas de refus, l'employeur risque une condamnation par le conseil des prud'hommes.

■■■ Peut-on mentionner des appréciations sur un certificat de travail ?

Oui, si elles sont favorables à l'employé. Non, si elle sont défavorables, et donc peuvent nuire à la réorientation de sa carrière.

■■■ Comment obtenir un certificat de travail ?

On peut l'obtenir soit en se rendant directement chez l'employeur, soit en faisant une demande écrite, adressée à l'employeur ou éventuellement au chef du personnel.

■■■ Modèle de demande

Vos nom
    prénom
    adresse

                Monsieur le chef
                du personnel des
                Établissements...

Lieu et date : ...

Objet : demande de certificat
        de travail

Monsieur,
Un certificat de travail m'est demandé par .... Auriez-vous l'obligeance de me l'envoyer dès que possible ?
Je vous rappelle que j'ai exercé les fonctions de..., durant la période du ... au ...
Avec mes remerciements, veuillez agréer, Monsieur, l'expression de mes sentiments les meilleurs.

                Signature

■■■ À noter

Pensez à vous faire établir un certificat de travail, à titre personnel, chaque fois que vous quittez un emploi. Au moment de la retraite, l'ensemble de ces certificats seront une aide précieuse pour reconstituer votre carrière professionnelle.

MODÈLE DE CERTIFICAT

1 Je soussigné,
Raymond Lorier, électricien, demeurant à Dijon (21100)
29, rue Adophe-Dietrich,

2 certifie avoir employé à mon service en qualité d'électricien-

3 **4** monteur, du 1er février 19.. au 19 novembre 19.. Monsieur

5 Christian Facq, demeurant 7 rue Edmond-Voisserrot à Dijon
(21100).

6 Fait à Dijon, le 20 nov. 19..

R. Lorier.

7 Raymond Lorier
Electricité Générale
29, rue A. Dietrich
21100 DIJON

RÈGLES DE LA LETTRE

FAMILLE ET AMIS

TRAVAIL ET EMPLOI

ARGENT ET IMPÔTS

JUSTICE

ADMINISTRATION

Lettre de démission

Vous désirez quitter votre emploi. Il vous faut prévenir votre employeur. Vous pouvez le prévenir oralement. Cependant, certaines conventions collectives demandent une démission par écrit. La lettre est une preuve utile en cas de contestation.

■ Présentation

Écrivez lisiblement ou tapez à la machine sur une feuille blanche format standard 21 × 29,7. Envoyez votre démission par lettre recommandée avec accusé de réception. Gardez une photocopie.

■ À qui adresser votre lettre ?

Dans une grande entreprise (plus de 200 employés), vous écrivez à « Monsieur le Directeur du personnel ».

Dans une P.M.E. (moins de 200 employés), vous écrivez à « Monsieur le Directeur ».

■ Quel doit être le contenu de votre lettre ?

1 Si vous le désirez, vous pouvez exprimer les raisons de votre démission. Si vous y renoncez, vous pouvez toujours utiliser une formule telle que « pour convenances personnelles ».

2 Exprimez clairement que vous quittez votre emploi, en précisant les fonctions que vous occupiez dans l'entreprise.

3 Donnez la date de votre démission effective.

4 Rappelez éventuellement le délai de préavis légal que vous devez respecter.

■ L'employeur peut-il refuser une démission ?

En règle générale, non. Seuls les contrats à durée déterminée ne permettent pas de démissionner (l'accord des deux parties est nécessaire pour rompre ce type de contrat).

■ Existe-t-il un préavis à respecter ?

Le délai de préavis varie selon les conventions collectives, l'ancienneté et le statut du salarié (en général, de un à trois mois). Mais l'employeur peut dispenser l'employé du préavis.

L'employeur, les délégués du personnel et les délégués syndicaux possèdent un exemplaire de la convention collective applicable à l'entreprise. Vous pouvez aussi la consulter à la Direction départementale du travail et de l'emploi.

Si le salarié ne respecte pas le délai de préavis, l'employeur est en droit de réclamer une indemnité et des dommages et intérêts.

■ Les conséquences d'une démission

Il faut savoir que lorsqu'un salarié démissionne, il ne peut prétendre à des indemnités de licenciement.

Les allocations chômage sont difficiles à obtenir et le démissionnaire n'a aucune priorité pour les stages de formation, contrairement aux licenciés économiques.

> Je suis au regret de vous faire part de ma démission pour motifs familiaux.
> Ma femme ayant été mutée à Lyon, j'ai pris la décision de retrouver un emploi dans cette région.
> En conséquence, je quitterai mes fonctions de chef comptable le 31 décembre 19.. au soir.
> Comptant sur votre compréhension, je vous prie de croire, Monsieur le Directeur, à l'expression de ma respectueuse sympathie.

MODÈLE DE LETTRE

Pierre Dayan
15, rue Hoche
78000 VERSAILLES

Monsieur le Directeur
Société Livradiso
Lettre recommandée
avec accusé de réception
35, boulevard de la Porte-Verte
78000 VERSAILLES

Objet : Avis de démission

Versailles, le 28 mars 19..

Monsieur le Directeur,

1
2
Je vous prie d'accepter ma démission, pour convenances personnelles, du poste de conducteur de travaux que j'occupe dans votre société.

3
4
Je souhaite me libérer de mes fonctions le 30 avril 19.., soit dans un mois, délai légal prévu par la convention collective.

Veuillez agréer, Monsieur le Directeur, l'expression de mes sentiments dévoués.

Pierre Dayan

RÈGLES DE LA LETTRE

FAMILLE ET AMIS

TRAVAIL ET EMPLOI

ARGENT ET IMPÔTS

JUSTICE

ADMINISTRATION

Lettre de licenciement

Le Code du travail impose trois étapes obligatoires, qui s'appliquent quelles que soient la taille de l'entreprise et l'ancienneté du salarié : 1 - Une convocation écrite à un entretien. 2 - Un entretien avec le salarié. 3 - Une lettre de licenciement (notification écrite).

■ Présentation

La lettre est tapée à la machine sur une feuille à en-tête de l'entreprise, format standard 21 × 29,7. Un exemplaire est conservé par l'expéditeur.

La lettre est envoyée en recommandé avec accusé de réception. Elle est adressée au salarié à son domicile personnel.

■ Quel doit être le contenu de la lettre ?

1 La date à laquelle a eu lieu l'entretien préalable.

2 De façon détaillée, la sanction retenue.

3 Les motifs invoqués apparaîtront très clairement : « Suite à vos absences injustifiées et répétées des..., du mois de..., vous êtes rayé de l'effectif de notre personnel ».

4 La date à partir de laquelle la décision prendra effet.

■ Quand la lettre doit-elle être envoyée ?

La procédure de licenciement n'intervient que dans le cas de rupture d'un contrat à durée indéterminée, et si la période d'essai est close.

La lettre doit être envoyée au plus tôt un jour franc (24 heures) après l'entretien. Au plus tard, un mois après le jour fixé pour l'entretien.

■ Les conditions de licenciement sont-elles toujours les mêmes ?

☐ Les conditions de licenciement sont précisées dans la législation du travail et les conventions collectives. Ces conditions se déterminent par rapport à deux points essen-tiels : l'ancienneté de l'employé et le motif du licenciement.

☐ Le salarié licencié fait toujours partie du personnel, jusqu'à la fin de son préavis. Le préavis prend effet à partir du moment où la lettre est présentée au domicile du salarié. Toutefois, en cas de faute « grave » ou « lourde », le préavis peut être supprimé.

■ Quelles sont les causes d'un licenciement ?

Il n'existe pas de texte définissant « la cause réelle et sérieuse » d'un licenciement. Celle-ci s'appuie sur la jurisprudence, c'est-à-dire sur les différentes décisions prises par les tribunaux dans des affaires précédentes. On peut néanmoins recenser trois grandes catégories de motifs de licenciement.

La gêne manifeste pour l'entreprise :
- inaptitude physique,
- absence pour longue maladie,
- refus d'accepter une transformation des conditions de travail.

La faute grave :
- refus d'obéissance,
- injures,
- violences,
- absences, retards fréquents.

La faute lourde :
- vol,
- sabotage,
- espionnage industriel,
- détournement de clientèle.

Le salarié peut contester son licenciement devant le conseil des prud'hommes : l'employeur devra alors apporter la preuve de la faute.

LES TEXTILES - CRÉATIONS
12, avenue Denfert-Rochereau
75014 Paris
Tél. 45.12.14.24

Monsieur Jean Listrac
44, rue de Maubeuge
75009 Paris

Lettre recommandée
avec A.R.

Objet : Notification de
licenciement

Paris, le 17 janvier 19..

Monsieur,

1 Suite à l'entretien que nous avons eu ce mardi 15 janvier 19..
dans les locaux de l'entreprise, et où vous étiez assisté de
2 M. Jean-Paul Irisi, nous vous signifions par écrit votre
licenciement pour faute grave.

3 Et ce, pour le motif suivant : absences non motivées et répétées
  – des 4, 5, 6 novembre 19..
  – des 12 et 13 novembre 19..
  – des 28 et 29 novembre 19..
     du 9 au 17 décembre 19..
  – des 2 et 3 janvier 19..

4 En conséquence, vous ne ferez plus partie de notre personnel
à dater du 18 février 19..

Veuillez agréer, Monsieur, l'expression de nos sentiments
distingués.

S. Figwair

RÈGLES DE LA LETTRE
FAMILLE ET AMIS
TRAVAIL ET EMPLOI
ARGENT ET IMPÔTS
JUSTICE
ADMINISTRATION

Faire opposition à un chèque perdu ou volé

Faire opposition à un chèque, perdu ou volé, est une démarche qui dégage votre responsabilité face à une éventuelle utilisation frauduleuse.

■■■ Présentation

Écrivez sur une feuille de format standard 21 × 29,7.

Gardez un double de votre lettre que vous envoyez en recommandé avec accusé de réception. Vous adressez votre opposition au directeur de votre agence bancaire ou de votre centre postal.

■■■ Quel doit être le contenu de votre lettre ?

1 Précisez vos nom, prénom, adresse et numéro de compte.

2 Indiquez l'objet de votre lettre : « opposition à un chèque ».

3 Datez votre lettre.

4 Rappelez la date, et l'heure, à laquelle vous avez prévenu la banque, par téléphone ou par télégramme.

5 Écrivez en toutes lettres : « Je fais opposition au chèque numéro... ».

6 Si votre chèque était établi à l'ordre d'un tiers, précisez :
- le montant exact du chèque au centime près : « d'un montant de... » ;
- l'ordre, c'est-à-dire le nom du bénéficiaire : « à l'ordre de Monsieur X » ;
- la date d'émission du chèque.

7 Donnez le motif de l'opposition, perte ou vol, en précisant la localité dans laquelle votre chèque a disparu.

■■■ À quel moment prend effet l'opposition ?

Dès que la banque aura été prévenue, l'opposition sera répercutée sur l'ensemble du réseau bancaire ou postal. L'opposition à un chèque est un service payant (se renseigner auprès de son agence).

En cas de chèque (ou chéquier) volé, que faut-il faire ?

☐ Prévenez votre agence par téléphone ou télégramme téléphoné même la nuit et les jours fériés, puis confirmez par lettre recommandée.

☐ Faites une déclaration de vol au commissariat le plus proche. Vous devez préciser les circonstances, le lieu et l'heure du vol. Votre déclaration sera enregistrée avec précision. On vous délivrera un récépissé qui pourra vous être réclamé par votre banque.

■■■ Que se passe-t-il si le chèque est utilisé frauduleusement avant que l'opposition ne soit effective ?

Votre compte est débité, car vous serez tenu pour responsable. D'où l'obligation évidente de prévenir le plus rapidement possible votre agence bancaire ou postale.

■■■ Que faire si l'on perd un chèque dont on est le bénéficiaire ?

Prévenez le plus rapidement possible le signataire, pour qu'il puisse faire opposition. Votre débiteur devra ensuite vous donner un nouveau chèque. Mais vous devrez signer un formulaire, qu'il aura été chercher à son agence bancaire ou postale, pour signifier que ce chèque vous a bien été volé.

■■■ Vocabulaire

Signataire : personne qui a signé le chèque.
Débiteur : personne qui doit de l'argent.

MODÈLE DE LETTRE

1 Michel Codaccioni
22, rue d'Angleterre
06000 Nice
Compte n° 443 842 001

B.P.A.M.
13, bd Victor-Hugo
06000 Nice

Lettre recommandée
avec accusé de réception

2 Objet : opposition à un chèque

3 Nice, le 30 avril 19..

Monsieur le Directeur,

4
5 Suite à la conversation téléphonique que nous avons eue hier à
6 14 heures, je vous confirme que je fais opposition au chèque
n° 3310185. D'un montant de 4 520 F, et établi au nom de
Monsieur Liabres, en date du 27 avril 19.., ce chèque a,
7 malheureusement, été perdu à Menton, hier matin.

Veuillez agréer, Monsieur le Directeur, l'expression de mes
salutations distinguées.

Michel Codaccioni

RÈGLES DE LA LETTRE

FAMILLE ET AMIS

TRAVAIL ET EMPLOI

ARGENT ET IMPÔTS

JUSTICE

ADMINISTRATION

Établir une facture

> La facture indique la quantité, la nature et le prix des marchandises livrées ou des services rendus. Elle est nécessaire dans la plupart des échanges commerciaux pour leur règlement. Il peut arriver que l'on soit amené à rédiger une facture lors d'événements courants : vente d'un meuble ancien, d'un objet, de plantes...

▬▬ Présentation

Écrivez sur une feuille de format standard 21 × 29,7. Établissez la facture en double exemplaire : un pour le vendeur et un pour l'acheteur.

Éventuellement joignez une lettre commençant par : « Veuillez trouver ci-joint la facture N° ... pour règlement des ... ». Si le règlement se fait par virement bancaire, joignez un R.I.B. (relevé d'identité bancaire).

▬▬ À qui adresser la facture ?

À la personne qui doit de l'argent, c'est-à-dire le débiteur.

▬▬ Quel doit être le contenu d'une facture ?

1 Indiquez le nom, le prénom, l'adresse du vendeur et le numéro de registre de commerce, pour les commerçants.

2 Indiquez le nom, le prénom, l'adresse de l'acheteur et débiteur et le numéro de commande.

3 Donnez, en détail, la quantité, la nature, le prix unitaire des marchandises ou travaux dont la facture fait l'objet.

4 Portez le montant total H.T. : hors taxes.

5 Indiquez le montant de la T.V.A. : la taxe sur la valeur ajoutée.

6 Établissez le montant final T.T.C. : toutes taxes comprises.

7 Pour éviter toute confusion, le montant final est écrit en chiffres et en toutes lettres.

8 Précisez la date et le mode de règlement :
- à réception par chèque,
- à 30 jours fin de mois (de réception de la facture) par virement, (spécifiez la domiciliation de votre banque),
- par traite, à 60 jours, etc., (spécifiez la domiciliation de votre banque),
- à la convenance du débiteur : « Valeur en votre aimable règlement ».
- N'oubliez pas de dater votre facture.
- Il peut être porté la mention : « Jusqu'à réglement complet de cette facture, la marchandise reste notre propriété ».

▬▬ Que faire si le débiteur ne règle pas sa facture ?

Le règlement d'une facture doit s'effectuer dans le délai d'un mois, sauf clause contraire indiquée sur la facture. Si, malgré de nombreux rappels par lettre recommandée avec accusé de réception, des sommes restent dues, le vendeur peut entamer une procédure d'ordonnance d'injonction de payer. Les démarches se font au tribunal de commerce ou au tribunal d'instance.

▬▬ Faut-il garder toutes les factures ?

La plupart des factures sont à conserver pour plusieurs raisons : elles servent de garantie envers le commerçant, elles peuvent être des justificatifs envers les assurances, les douanes, le fisc.

▬▬ Orthographe

Les chiffres sont invariables (quatre, mille...) excepté vingt et cent, s'ils ne sont suivis d'aucun chiffre :
- deux cents francs
- deux cent quatre francs
- quatre-vingts francs
- quatre-vingt-huit francs.

MODÈLE DE FACTURE

Didier Sauvegnargues   Carcassonne, le 10.05.19..
Parcs et Jardins
1 4, bd Benoît
11012 Carcassonne

État des travaux
dus par :
Monsieur et Madame A. de Valrens
2 Place Canourgue
11108 Narbonne

FACTURE N° 458-19..

3
— Élagage d'un érable .... 1 500,00 F
— Taille d'une haie : longueur 20 m .... 300,00 F
— Engazonnement : surface 100 m²
     préparation du terrain : bêchage - nivellement .... 800,00 F
     gazon : 4 kg .... 250,00 F
— Traitement fongicide sur 3 fruitiers .... 150,00 F
     1 litre de Difosale .... 70,00 F

4 Total H.T. .... 3 070,00 F

5 TVA incidence : 18,6 % .... 571,02 F

6 TOTAL TTC .... 3 641,02 F

7 Soit : trois mille six cent quarante et un francs et deux centimes,
8 valeur en votre aimable règlement.

                                   Didier Sauvegnargues

RÈGLES DE LA LETTRE

FAMILLE ET AMIS

TRAVAIL ET EMPLOI

ARGENT ET IMPÔTS

JUSTICE

ADMINISTRATION

Reconnaissance de dette

Rédiger une reconnaissance de dette, c'est rechercher une garantie simple, efficace et légale, à l'occasion d'un prêt d'argent entre particuliers. De sorte que, si le remboursement tarde, ou si la dette se trouve contestée, le créancier dispose d'une preuve.

Présentation

Écrivez sur une feuille de format standard 21 × 29,7.
Doit-on rédiger la reconnaissance de dette en double exemplaire ? Cela n'est pas nécessaire. Seul le créancier doit conserver une copie de l'acte.

Quel doit être le contenu d'une reconnaissance de dette ?

1 Faites rédiger le texte par le débiteur (celui qui emprunte), une écriture est un peu l'équivalent des empreintes digitales. Noter en titre : reconnaissance de dette.

2 Puisqu'il s'agit d'une sorte de contrat, les deux états civils des contractants doivent apparaître : nom, prénoms, profession et adresse.

3 Indiquez le montant de la somme prêtée, en chiffres et en lettres.

4 Des intérêts sont prévus, n'oubliez pas de mentionner le pourcentage et la période sur laquelle ce pourcentage s'appliquera.

5 Précisez la date prévue pour le remboursement : jour, mois, année.

6 N'oubliez pas de dater le document.

7 Si le texte est tapé à la machine, ou écrit à la main par le prêteur, l'emprunteur doit écrire à la main les mentions suivantes : « Lu et approuvé, bon pour la somme de..., intérêts compris ». Le montant du remboursement doit être écrit en toutes lettres.

8 Seule la signature du débiteur est nécessaire.

Peut-on faire enregistrer l'acte ?

L'enregistrement consiste à authentifier un acte, en lui donnant date certaine. Une fois votre reconnaissance de dette établie, adressez-vous au service fiscal de l'hôtel des impôts de votre ville, ou de votre département, pour y faire apposer un timbre fiscal, et procéder à l'enregistrement.

RECONNAISSANCE DE DETTE

Je soussignée Liliane Leconte, infirmière, demeurant 5, avenue de la Liberté, 77000 Melun, reconnaît devoir à Madame Chantal Cartier, maquettiste, domiciliée 23, place aux Dames à Melun, la somme de 5 000 F (cinq mille francs).
Cette somme m'a été prêtée à titre gracieux et sera remboursée au plus tard de 1er juillet 19..
Le 15 janvier 19..
Lu et approuvé, bon pour la somme de cinq mille francs

Vocabulaire

Débiteur : personne qui doit de l'argent à une autre.
Créancier : personne à qui l'on doit de l'argent.
Contractant : personne qui s'engage par contrat.
Taux d'intérêt : le taux d'intérêt est en principe libre. Cependant un taux d'intérêt supérieur de 25 % aux taux couramment pratiqués par les banques est interdit. C'est ce que l'on appelle l'usure. L'usure est un délit. En conséquence l'usurier est passible d'une amende et éventuellement d'une peine de prison.
Date de restitution : mentionner la date de restitution du prêt est une garantie pour le débiteur. Si le délai de remboursement n'était pas clairement précisé dans la reconnaissance de dette, la créance pourrait être réclamée à tout moment.

1 *Reconnaissance de dette*

2 *Monsieur Vincenti Gérard, Gaston, employé municipal,
demeurant 7, avenue de la Convention, Paris 75015,
reconnaît devoir à Madame Raoult, Claude, Michèle,
sans emploi, demeurant 4, rue de la Forêt à Chevreuse,*

3 *78460, la somme de 15 000 F (quinze mille francs).*

4 *Cette somme a été prêtée à Monsieur Vincenti Gérard,
moyennant un intérêt mensuel de 1 % (un pour cent).*

5 *Cette somme sera remboursée, principal et intérêts,
au 31 décembre 19..*

6 *Le 1ᵉʳ août 19..*

7 *Lu et approuvé
Bon pour la somme de quinze mille neuf cent un francs,
intérêts compris.*

8 *Gérard Vincenti*

RÈGLES DE LA LETTRE

FAMILLE ET AMIS

TRAVAIL ET EMPLOI

ARGENT ET IMPÔTS

JUSTICE

ADMINISTRATION

Lettre pour réclamer le remboursement d'un prêt

Il est toujours délicat de devoir réclamer l'argent que l'on a prêté. Une lettre, c'est-à-dire une mise au point par écrit, permet pourtant de conserver de bonnes relations avec son débiteur.

■ Présentation

Écrivez sur papier libre. Adressez votre lettre à la personne qui vous doit de l'argent. Le ton de votre demande de remboursement dépend du degré d'intimité qui vous lie à votre correspondant.

■ Quel doit être le contenu d'une lettre à un proche ?

1 Annoncez tout de suite l'objet de votre lettre. Exprimez éventuellement l'embarras que vous occasionne cette démarche : « Sans nouvelles de toi depuis quelque temps, je me vois contraint de t'écrire pour te rappeler notre accord du mois de juin dernier... »

2 Rappelez précisément le montant du prêt que vous avez accordé : « Je t'avais prêté, pour quelques semaines, la somme de 3 000 francs. »

3 Montrez à votre correspondant que vous ne regrettez pas de lui avoir rendu service : « Je suis ravi d'avoir pu t'aider à surmonter tes difficultés du moment... » « Je t'ai prêté cet argent de bon cœur, malgré la gêne que ce prêt représentait pour mes propres projets. »

4 Si un délai de remboursement avait été clairement défini, mentionnez-le : « Je comptais recevoir ton chèque le 15 mars dernier, comme nous l'avions convenu. »

5 Exprimez brièvement les raisons pour lesquelles vous avez besoin d'être remboursé : « Une série d'incidents matériels m'ont obligé à faire d'importantes dépenses. » « Je suis, à mon tour, dans une situation financière délicate. »

6 Formulez votre demande de remboursement : « Plusieurs mois se sont écoulés, et j'aurais grand besoin de récupérer cette somme. »

7 Exprimez votre regret de ne pouvoir prolonger le délai de remboursement. « J'aurai encore attendu si je l'avais pu. Malheureusement, ce n'est plus possible. »

8 Remerciez à l'avance votre correspondant, pour sa promptitude : « Je te remercie de m'envoyer un chèque dans les meilleurs délais... »

■ Quel doit être le contenu d'une lettre à une relation ?

- Précisez très exactement les termes de votre accord (montant du prêt, nombre d'échéances, délai de remboursement).
- Si des délais supplémentaires ont déjà été accordés, rappelez-le.
- Faites part de la nécessité de recouvrer vos fonds.
- Formulez votre demande de remboursement.

■ Modèle de lettre

Chère Madame,

Lorsque je vous ai prêté la somme de 15 000 francs, il y a de cela deux ans, il était entendu que vous me rembourseriez en 18 mois.
Je sais que vous avez rencontré des difficultés, vous me l'avez signalé à différentes reprises. Toutefois, il m'est impossible de vous accorder de nouveaux délais, car je dois moi-même régler des affaires de première importance. Aussi je vous prie de prendre les dispositions nécessaires pour me rembourser au plus tôt.
Comptant sur votre diligence, croyez, Chère Madame, à mes sentiments les meilleurs.

Le Puy, le 7 mars 19..

Cher Jean-Marc,

1 La raison pour laquelle je t'écris est bien embarrassante, et j'aurais aimé ne pas avoir à te rappeler tes engagements. Malheureusement, ma situation financière actuelle ne me le permet pas.

2
3 Lorsque tu m'as demandé de te prêter 10 000 francs l'été dernier, j'avais cette somme disponible, et c'est bien volontiers que je t'ai rendu ce service. Tu m'avais d'ailleurs promis de me
4 rembourser avant la fin de l'année.

5 Aujourd'hui, je dois faire face à des dépenses imprévues. Christine et moi avons décidé d'emménager au 1er avril dans un appartement plus grand, à deux pas de chez nous. Cela occasionne bien sûr pas mal de frais, et j'aurais besoin de
6 récupérer très rapidement cet argent.

7 Je suis désolé de ne pouvoir prolonger encore le délai que nous
8 nous étions fixé, et je compte sur toi pour ne pas être obligé d'emprunter moi-même cette somme à la banque.

Amicalement à toi.

Pierre Salbris

RÈGLES DE LA LETTRE
FAMILLE ET AMIS
TRAVAIL ET EMPLOI
ARGENT ET IMPÔTS
JUSTICE
ADMINISTRATION

Promesse de vente

La promesse de vente, ou compromis de vente, fixe les modalités de vente et d'achat d'un bien mobilier ou immobilier. Cet acte légal engage l'acheteur et le vendeur. Il s'agit d'un acte antérieur à la vente, nullement obligatoire, mais qui s'avère nécessaire si certaines conditions doivent être remplies.

▬ Présentation

La rédaction de l'acte peut être faite par un notaire, contre paiement. Vous pouvez également rédiger vous-même une promesse de vente en toute légalité.
Écrivez sur une feuille blanche format standard 21 × 29,7. Faites deux exemplaires. Un des exemplaires peut être photocopié, mais les signatures doivent être originales.
Gardez toujours un original, n'envoyez que des photocopies.

▬ Quel doit être le contenu de l'acte ?

1 Spécifiez, dans le titre, qu'il s'agit d'un compromis : « Promesse de vente ».
2 Nommez les deux parties en présence :
- Nom, prénoms, état civil
- Adresse
- Profession
3 Objet de la promesse
Précisez exactement ce qui est vendu (terrain, habitation, fonds de commerce, etc.).
Décrivez minutieusement l'objet de la vente. Pour un terrain, utilisez la description cadastrale. Énumérez les constructions qui se trouvent dessus.
4 Durée et mode de réalisation de la promesse
Les contractants décident d'une date (donc d'un délai), au-delà de laquelle la promesse de vente sera considérée comme « nulle et non avenue ».
5 Montant et versement du dédit
Trois points doivent retenir votre attention :
- Si la vente est effective, le dédit est une avance sur le paiement final.
- Si la vente ne se réalise pas, du fait de l'acheteur, le dédit appartient au vendeur.
- Si la vente ne se réalise pas, du fait du ven-

deur, le dédit, doublé en valeur, appartient à l'acheteur.
L'acte doit mentionner le montant du dédit en lettres, puis en chiffres.
6 Conditions de la vente
Précisez le mode de fonctionnement du dédit, en utilisant la formule légale. (Cette formule fait référence aux articles 1590 et suivants du code civil).
7 Le prix
Il doit être exprimé en lettres et en chiffres : « deux cent mille francs (200 000 francs) ».
Précisez les modalités et la date du paiement. Par exemple : « Paiement comptant le jour de la signature de l'acte de vente ». C'est ce qui s'appelle la « levée d'option ».
8 Élection de domicile
Précisez les domiciles en utilisant la formule suivante : « Les parties font élection de domicile en leur demeure respective, telles qu'elles sont ci-dessus énoncées ».
9 Signature
Mentionnez le lieu : « Fait à... », la date : « le... (jour, mois, année) ».
N'oubliez pas la formule écrite à la main par les contractants : « Bon pour promesse de vente, lu et approuvé ».
Les deux parties doivent signer.

▬ Promesse de vente ferme et promesse de vente avec dédit

La promesse de vente « ferme », avec acompte, engage les deux parties à vendre et à acheter sous peine, pour celle qui renoncerait, de devoir verser des dommages et intérêts.
La promesse de vente avec dédit (arrhes), limite l'engagement des deux parties en fonction de conditions suspensives précises (délai d'exécution, obtention d'un permis de construire, d'un prêt, etc.).

MODÈLE DE PROMESSE DE VENTE

1 PROMESSE DE VENTE

2 ENTRE LES SOUSSIGNÉS :
Madame Mansard Paule, Joséphine, sans profession, demeurant à MENTON (06) 9, rue Mozart, divorcée de M. Chezbou, de nationalité française, née à PARIS (75004) le 4 mai 1952.
dénommée « le promettant »

D'UNE PART

Et Monsieur Castiglione Marcel Georges, Henri, professeur certifié de physique, demeurant à NICE (06) 11, avenue Lorenzi, époux de Madame Colbert Claudette, de nationalité française, né à ALGER (Algérie) le 10 août 1960 dénommé « le bénéficiaire »

D'AUTRE PART

IL A ÉTÉ ARRÊTÉ ET CONVENU CE QUI SUIT
Le promettant en s'obligeant, confère au bénéficiaire qui accepte, mais sans prendre l'engagement d'acheter, la faculté d'acquérir dans le délai et aux conditions ci-après indiquées, les biens suivants :

3 OBJET DE LA PROMESSE
Différentes parcelles de terre sises à CASTELLAR, cadastrées section B-n° : 783 pour 1 060 m² - 1 228 pour 460 m² - 1 230 pour 11 161 m² - 1 232 pour 434 m².
Existant sur l'une des parcelles une petite construction en bois.

4 DURÉE ET MODE DE RÉALISATION DE LA PROMESSE
La réalisation de la présente promesse de vente pourra être demandée par le bénéficiaire dès-avant et au plus tard à l'expiration d'un délai se terminant le ... 19.. Passé ce délai, sans que le bénéficiaire ait manifesté son intention d'acquérir les biens ci-dessus, la présente promesse de vente sera considérée comme nulle et non avenue, sans qu'il soit besoin pour le promettant de se manifester.

VERSEMENT DES ARRHES
La présente promesse de vente a lieu moyennant le versement d'une indemnité de dix mille francs (10 000 F).
Laquelle somme a été payée comptant, par le bénéficiaire, directement entre les mains du promettant qui le reconnaît et donne bonne quittance.

DONT QUITTANCE **5**
Cette somme sera considérée comme un dédit stipulé en faveur de l'une ou l'autre partie.

CONDITIONS DE LA VENTE ÉVENTUELLE
La vente, si la réalisation en est demandée dans le délai convenu, aura lieu sous les charges et conditions ordinaires de fait et de droit en pareille matière, et notamment :
il est expressément convenu que la **6** somme versée à titre de dédit par M. Castiglione sera perdue par lui s'il ne donne pas suite au présent compromis et que de la même façon, Mme Mansard, le promettant, devra restituer le double de la somme versée à titre de dédit, si la vente ne peut s'effectuer de son fait.

CONDITIONS SUSPENSIVES
La présente promesse de vente est expressément subordonnée aux conditions suspensives ci-après :
— Obtention par le bénéficiaire d'un prêt d'un montant de cent mille francs (100 000 F) pour une durée minimum de cinq ans et à un taux d'intérêt de douze pour cent (12 %).
— Obtention d'un permis de construire d'une maison individuelle.

PRIX **7**
La vente, si elle se réalise, aura lieu moyennant le prix de :
cent mille francs (100 000 F)
Lequel prix sera payable comptant le jour de la signature de l'acte de vente.

ÉLECTION DE DOMICILE **8**
Pour l'exécution des présentes et de leurs suites, les parties font élection de domicile en leur demeure respective, telles qu'elles sont ci-dessus énoncées.

Fait à NICE,
le.. 19.. en quatre exemplaires. **9**

Bon pour promesse de vente, lu et approuvé.

RÈGLES DE LA LETTRE
FAMILLE ET AMIS
TRAVAIL ET EMPLOI
ARGENT ET IMPÔTS
JUSTICE
ADMINISTRATION

Demande de délai de paiement au percepteur

Il est nécessaire de fournir des raisons précises qui expliqueront votre démarche : situation financière momentanément difficile, perte d'emploi, obligation militaire, problème de santé, divorce...

▨ Présentation

Écrivez sur une feuille de format standard, 21 × 29,7. Gardez l'original de chaque document, n'envoyez que des photocopies. Adressez votre demande au percepteur dont l'adresse figure sur votre avis d'imposition.

▨ Quel doit être le contenu de votre lettre ?

1 Indiquez vos nom, prénom, adresse, ainsi que le numéro de référence figurant sur l'avis de recouvrement.

2 Demandez un délai de paiement assorti d'une remise de majoration, pour éviter que des intérêts ne soient mis à votre charge.

3 Précisez la nature de l'impôt (impôt sur le revenu, taxe d'habitation et son montant...)

4 Exprimez les problèmes qui vous amènent à demander ce délai :

« À la retraite depuis le 31 janvier dernier, vous m'obligeriez beaucoup en m'accordant un délai pour le paiement du solde de mes impôts sur le revenu. »

5 Proposez éventuellement des dates de paiement.

6 Joignez les photocopies de l'avis de mise en recouvrement et de tout document pouvant justifier votre situation : copie de la décision de divorce, attestation de l'employeur, certificats médicaux, certificat de présence au corps...

▨ Qui fixe l'étalement du paiement ?

Le percepteur vous adressera un échéancier avec les dates de paiement et leur montant.

▨ Risquez-vous des pénalités ?

Si votre lettre n'arrive pas avant votre date d'échéance, vous aurez une majoration de 10 %. Le mieux est de faire sa demande dès la réception de l'avis de mise en recouvrement.

La demande en remise de majoration, que vous formulez avec votre demande de délai de paiement, est en général accordée. Un chômeur peut bénéficier de conditions plus larges quant aux délais de paiement. Il est dispensé des intérêts et majoration de retard.

▨ Impôts par prélèvement mensuel

Seule l'échéance de décembre est susceptible de bénéficier d'un délai de paiement. Pour cela trois conditions doivent être remplies :
- la demande doit être faite avant le 10 novembre ;
- le montant de l'échéance de décembre doit être égal ou supérieur au double de celui de la mensualité de novembre ;
- vous devez fournir des justificatifs de vos difficultés financières.

▨ Demande de délai de paiement

Je viens de recevoir votre avis de paiement concernant mes impôts sur le revenu d'un montant de 6 527 F. Effectuant mon service militaire, je suis incorporé depuis le 1er juin 19.., et serai dans l'impossibilité de vous verser ce solde le 15 septembre prochain. Auriez-vous l'obligeance de m'accorder un délai de paiement assorti d'une remise de majoration ? Comptant sur votre compréhension, je vous prie d'agréer, Monsieur le Percepteur, l'expression de mes sentiments distingués.

1 Fabien Castres
19, rue Baques
64100 Bayonne

Trésorerie Principale
de Bayonne
Référence :
1 n° 44 64 006 - 19..
11, rue Vauban
64100 Bayonne

Objet :
demande de délai

Bayonne, le 10 septembre 19..

Monsieur le Percepteur,

4 Sans emploi depuis le 1er juin 19.., je vous serais reconnaissant
2 de m'accorder un délai, assorti d'une remise de majoration, pour
3 le paiement de ma taxe d'habitation d'un montant de 890 F.
Me serait-il possible d'en régler le montant en 3 versements,
5 échelonnés sur les 3 mois à venir ?

Avec l'espoir que vous répondrez favorablement à ma demande,
je vous prie de recevoir, Monsieur le Percepteur, mes sincères
salutations.

Fabien Castres

P.J. (3) : — Copie de l'avis de mise en recouvrement.
6 — Copie de l'attestation de licenciement de mon employeur.
— Copie de l'inscription à l'ANPE.

RÈGLES DE LA LETTRE
FAMILLE ET AMIS
TRAVAIL ET EMPLOI
ARGENT ET IMPÔTS
JUSTICE
ADMINISTRATION

Réclamation aux services des impôts

On peut présenter une réclamation lorsqu'on constate une erreur dans le décompte de l'imposition : erreur de chiffre, mauvais calcul du nombre de parts, situation familiale erronée, etc.

▬ Présentation

Écrivez sur une feuille de format standard 21 × 29,7. Gardez l'original de chaque document, n'envoyez que les photocopies.

▬ À qui adresser votre lettre ?

Au Chef du centre des impôts (C.D.I.), dont l'adresse figure sur votre avis d'imposition.

▬ Quel doit être le contenu de votre lettre ?

1 Indiquez vos nom, prénom, adresse, numéro de téléphone, ainsi que le numéro de référence figurant sur l'avis de recouvrement.

2 Précisez la nature de l'impôt contesté : impôt sur le revenu, taxe professionnelle, taxe d'habitation, taxe sur la valeur ajoutée (T.V.A.).

3 Indiquez la période d'imposition concernée par votre réclamation.

4 Exprimez clairement et brièvement les motifs de votre réclamation :
« Après avoir pris connaissance de mon avis d'imposition sur le revenu, pour l'année 19.., je constate l'omission de la demi-part concernant ma fille, née en décembre de cette année. »

5 Précisez clairement votre demande :
« En conséquence, je demande le dégrèvement de mon imposition. »

6 N'oubliez pas de dater et signer votre lettre.

7 Joignez la photocopie de l'avis d'imposition de l'année concernée.

8 Éventuellement, joignez la photocopie de toute pièce justificative : factures, fiche d'état civil, attestation de l'employeur...

▬ Quels sont les délais à respecter pour faire une réclamation ?

□ Si vous n'avez pas payé, faites votre réclamation avant la date d'échéance.

□ Si vous avez déjà payé, la réclamation reste possible jusqu'au 31 décembre de la deuxième année qui suit la date du paiement. Par exemple, pour un paiement le 15 octobre 1992, vous pouvez réclamer jusqu'au 31 décembre 1994. Le délai de réclamation est plus court pour les impôts locaux. Vous avez jusqu'au 31 décembre de l'année suivant la date de paiement.

▬ Que se passe-t-il ensuite ?

□ Admission totale : on vous accorde, en totalité, le dégrèvement (la diminution) demandé.

□ Admission partielle : une seule partie de votre réclamation aboutit au dégrèvement de votre impôt.

□ Rejet : votre réclamation est rejetée.
Dans ces deux derniers cas, si vous voulez maintenir votre réclamation, vous pouvez faire une demande d'annulation de la décision administrative, auprès du Tribunal administratif interdépartemental.

▬ Risquez-vous des pénalités ?

□ La réclamation en matière d'impôt est un droit. Cependant, dans le cas d'un sursis de paiement, votre percepteur peut vous demander des garanties : caution bancaire, hypothèques...

□ Si votre réclamation est rejetée, et si la date limite de paiement est dépassée, vous risquez une majoration de 10 %.

MODÈLE DE LETTRE

Armand Guermeur
31, rue Kérivin
[1] 29200 Brest
Tél. : 12.52.31.22

Monsieur le Chef
du Centre des impôts
Référence : Square Marc-Sangnier
N° 29.458.040-19.. 29200 Brest
[1] 12.458.014

Objet : Réclamation

Brest, le 12 avril 19..

Monsieur,

Le 5 février dernier, je vous faisais parvenir une demande de
[2] modification de mes impôts sur le revenu, pour l'année 19.., dans
[3] la mesure où je verse une pension alimentaire à mon ex-épouse.
Or, je n'ai pu fournir dans les délais la preuve de ce paiement.
[4] J'ai obtenu, aujourd'hui, le document portant la décision de
justice, et je réitère par conséquent ma demande, à savoir le
[5] dégrèvement total de cette somme sur l'imposition de l'année 19..

Dans l'attente de votre réponse, je vous prie de recevoir,
Monsieur, l'assurance de mes sentiments les meilleurs.

[6]   Armand Guermeur

[7] P.J. (2) : — Copie de l'avis d'imposition sur le revenu de 19..
[8]   — Copie de la décision de justice.

RÈGLES DE LA LETTRE

FAMILLE ET AMIS

TRAVAIL ET EMPLOI

ARGENT ET IMPÔTS

JUSTICE

ADMINISTRATION

Contester une contravention

Si les faits ne sont pas contestés, il faut envoyer la contravention affranchie, complétée des nom, prénoms et adresse du contrevenant, et munie d'un timbre fiscal sur la contravention. Si l'on n'est pas d'accord avec les faits : il faut envoyer, avant trente jours, une lettre de contestation.

Présentation

Écrivez sur une feuille blanche de format standard 21 × 29,7.
Joignez la contravention complétée de vos nom, prénom et adresse, et faites une photocopie que vous garderez.
Envoyez en lettre simple pour les amendes forfaitaires et pénales. Envoyez en lettre recommandée avec accusé de réception pour les ordonnances pénales.

À qui adresser votre lettre ?

Vous devez réclamer avant 30 jours, au directeur du service verbalisateur, en général la police municipale ou la police nationale ; leur adresse figure sur la contravention.

Quel doit être le contenu de votre lettre ?

1 Indiquez vos noms, prénom et adresse.
2 Précisez la marque et le numéro d'immatriculation du véhicule concerné.
3 Expliquez clairement les faits : date et lieu de la contravention.
4 Dites pourquoi vous contestez la contravention.
5 Signez.

Que se passe-t-il ensuite ?

☐ Si votre réclamation est justifiée, vous serez averti, par courrier, que les poursuites à votre encontre sont arrêtées.

☐ Si votre réclamation n'est pas fondée, on vous retournera la contravention que vous devrez payer au tarif initial. Vous pouvez dans ce cas contester auprès de l'Officier du Ministère Public, auprès du tribunal de police, mais en général sa décision ne fait que confirmer celle du service verbalisateur.

Deux principaux modes de contravention

☐ L'amende forfaitaire est prévue pour la majorité des infractions, mais s'applique essentiellement aux petites contraventions (défaut de port de la ceinture, stationnement gênant, défaut de présentation immédiate des papiers, etc.).

☐ Le jugement devant le tribunal de police, ou le tribunal correctionnel : même si une amende forfaitaire est prévue, certaines infractions au code de la route sont sanctionnées par le tribunal cas par cas. C'est le cas pour non-respect des limites de vitesse, ou non-respect d'un feu rouge.
Vous pouvez faire appel, si vous contestez la condamnation, dans les dix jours qui suivent le jugement, et seulement si la condamnation est supérieure à 600 F.

Que se passe-t-il si vous ne payez pas votre amende forfaitaire, sans faire de lettre de réclamation ?

☐ Pour les infractions de stationnement, vous recevrez un avertissement « amende pénale fixe », dont le délai de paiement est de dix jours, et le montant supérieur à celui de l'amende forfaitaire. Si vous ne réglez pas cette nouvelle amende, ou si vous ne faites pas de réclamation pour la contester (délai de dix jours), vous passerez en jugement.

☐ Pour toute autre infraction, vous serez convoqué directement au tribunal de police (pour les petites infractions), ou au tribunal correctionnel (pour les délits plus graves).

1 Didier Pérelle
50, rue Jules-Watteen
59960 Neuville-en-Ferrain

2 Véhicule : Renault 19
N° immatriculation
1592 LN 59

Monsieur le Directeur
de la Police Municipale
de Tourcoing
Hôtel de Ville
59200 Tourcoing

Neuville, le 26 mai 19..

Monsieur le Directeur,

3 Le 19 mai dernier (vers 15 h 30), j'ai stationné devant le 13
de la rue de Menin à Tourcoing. A mon retour, vers 16 h, une
contravention m'indiquait que j'étais en infraction, car garé du
4 côté impair. Or dans cette rue, aucun panneau ne signale le
stationnement alterné.

En conséquence, je vous demande l'annulation de cette
contravention.

En espérant que vous examinerez mon cas avec bienveillance, je
vous prie d'agréer, Monsieur le Directeur, l'expression de mes
sentiments les meilleurs.

5 Didier Pérelle

P.J. : La contravention complétée de mes coordonnées.

RÈGLES DE LA LETTRE

FAMILLE ET AMIS

TRAVAIL ET EMPLOI

ARGENT ET IMPÔTS

JUSTICE

ADMINISTRATION

Non-renouvellement d'un contrat d'assurance

Pour résilier un contrat d'assurance sans raisons précises, il faut attendre le terme du contrat. Cependant, un préavis est à respecter, il est indiqué sur le contrat d'assurance.

■■■ Présentation

Écrivez sur une feuille de format standard 21 × 29,7. Gardez un double de votre lettre que vous envoyez en recommandé avec accusé de réception à votre assureur. Son adresse figure sur votre contrat d'assurance.

■■■ Quel doit être le contenu de votre lettre ?

1 Indiquez votre nom, votre prénom et votre adresse.

2 Précisez vos références, c'est-à-dire : le type de votre contrat (automobile, habitation...) ainsi que votre numéro de police ou de sociétaire.

3 Mentionnez le nom de la personne auprès de qui vous avez souscrit votre assurance, et qui gère votre dossier, à l'aide de la formule « À l'attention de Monsieur R... ou Madame V... ».

4 Indiquez la date de la prochaine échéance.

5 Exprimez clairement votre volonté de mettre fin à votre contrat, à partir de cette échéance.

6 Signez.

■■■ Quelle est la durée du préavis ?

☐ Le préavis est variable selon les contrats, de 1 à 3 mois. Celui-ci est indiqué sur votre contrat d'assurance.

☐ La résiliation peut être annuelle, mais certains contrats mentionnent que la résiliation ne peut se faire que tous les trois ans, ou même tous les cinq ans.

■■■ Quand votre lettre doit-elle parvenir chez votre assureur ?

Elle doit arriver la veille du jour où commence le préavis.

Par exemple, pour un contrat avec préavis d'un mois, à échéance au 1er janvier, votre lettre de résiliation doit arriver le 30 novembre au plus tard.

■■■ L'assurance habitation

La mention R.A., inscrite sur le contrat, signifie que la résiliation peut se faire chaque année. L'absence de mention sur le contrat sous-entend qu'il est possible de résilier celui-ci annuellement.

Dans ces deux cas, le préavis est d'un mois.

■■■ L'assurance maladie et l'assurance individuelle accident

La mention concernant la résiliation et le préavis doit figurer au-dessus de l'emplacement réservé à la signature.

Dans les cas où la résiliation peut se faire annuellement, le préavis est d'un mois ; dans les autres cas, la durée du préavis est précisée.

■■■ L'assurance véhicule

La résiliation peut se faire annuellement. Le préavis est variable selon les contrats.

Un conseil : dans tous les cas, il est préférable de s'engager dans des contrats résiliables annuellement.

■■■ Vocabulaire

Contrat d'assurance : c'est un engagement entre deux parties. Vous pouvez faire rédiger votre contrat en fonction de vos propres besoins : durée du préavis, échéance, conditions de résiliation... Il appartient à l'assureur de les accepter ou de les refuser.

1 Paul Malacrant
4, rue Jules-Lecesne
76000 Le Havre

M.O.T.
14, rue Jean-Lurçat
Recommandée avec A.R. 76610 Le Havre

N° de sociétaire :
2 76.L.H.4258.20.

Objet :
3 Contrat d'assurance automobile
À l'attention de Monsieur R...

Le Havre,
le 25 novembre 19..

Monsieur le Directeur,

Je vous prie de bien vouloir prendre acte de la résiliation de
mon contrat d'assurance automobile, souscrit auprès de votre
4 compagnie sous le numéro cité ci-dessus. À la prochaine
5 échéance, le 31 décembre 19 , mon contrat prendra donc fin.

Veuillez recevoir, Monsieur le Directeur, mes salutations
distinguées.

6 Paul Malacrant

RÈGLES DE LA LETTRE

FAMILLE ET AMIS

TRAVAIL ET EMPLOI

ARGENT ET IMPÔTS

JUSTICE

ADMINISTRATION

Résiliation, avant terme, d'un contrat d'assurance

Il est possible, pour certaines raisons bien précises, de résilier un contrat d'assurance avant son terme. La lettre envoyée à l'assureur doit alors préciser le motif qui explique cette rupture de contrat.

▬ Présentation

Écrivez sur une feuille de format standard 21 × 29,7. Gardez un double de votre lettre que vous envoyez en recommandé avec accusé de réception à votre assureur. Son adresse figure sur le contrat que vous désirez résilier.

▬ Quel doit être le contenu de votre lettre ?

1 Indiquez votre nom, votre prénom et votre adresse.

2 Précisez vos références, c'est-à-dire : le type de votre contrat (automobile, habitation...) ainsi que votre numéro de police ou de sociétaire.

3 Mentionnez le nom de la personne auprès de qui vous avez souscrit votre assurance et qui gère votre dossier, à l'aide de la formule : « À l'attention de Monsieur R... ou Madame V... ».

4 Donnez la raison précise qui vous amène à cette résiliation.

5 Précisez la date à laquelle vous désirez que cette résiliation devienne effective. En général il faut prévoir un délai d'un mois, après la réception de votre lettre par votre assureur.

6 Signez.

▬ Quels motifs peuvent justifier une résiliation ?

La liste est donnée par votre compagnie d'assurance, sous la rubrique « conditions générales » de votre contrat d'assurance.

À titre d'indication, voici les motifs généralement admis pour résilier un contrat d'assurance avant son terme.

☐ Lorsque la prime d'assurance a été majorée, excepté pour le cas d'une assurance automobile majorée pour pénalité due à un malus, la rupture de contrat peut être invoquée.

☐ L'objet assuré est perdu : la résiliation prend effet à la date de la perte. En effet, le contrat ne se justifie plus.

☐ L'objet assuré est vendu : la résiliation prend effet dix jours après réception de la lettre. L'assurance, si le contrat le précise, rembourse alors la période restante pendant laquelle l'assurance n'est pas utilisée. Lors de la vente d'automobile ou de deux-roues, le contrat peut être suspendu à partir du lendemain, puis reconduit sur un autre véhicule. La suspension ne peut excéder six mois.

☐ Les conditions de vie de l'assuré ont changé. En cas de décès : la résiliation prend effet dix jours après la réception de la lettre envoyée par l'assuré, par l'un de ses proches ou par son légataire. En cas de changement de domicile, de situation matrimoniale, de profession ou de mise à la retraite : un mois de préavis est nécessaire.

☐ L'assureur a résilié un contrat après un sinistre : l'assuré est en droit de résilier tous les autres contrats avec cet assureur.

▬ Y a-t-il remboursement des cotisations versées auparavant ?

Certaines compagnies d'assurance remboursent une partie des cotisations versées. Souvent une partie, ou parfois la totalité, des cotisations sont conservées par la compagnie : prime retenue à titre de résiliation en cours de contrat.

MODÈLE DE LETTRE

Jacques Abensourt
2, rue Camille-Desmoulins
94800 Villejuif

M.I.P.
4, bd de la Tour Maubourg
75007 Paris

Recommandée avec A.R.

N° de Police : 754420
Assurance habitation
Agence : la Tour Maubourg

À l'attention de Monsieur V...

Villejuif, le 12 janvier 19..

Monsieur le Directeur,

Je viens de déménager, et j'entre dans un appartement déjà assuré par mon employeur.
Conformément à l'article 4 de vos conditions générales, je vous prie de bien vouloir résilier mon contrat d'habitation pour mon ancienne adresse : 15, place de la République Paris 3e, souscrit auprès de votre compagnie, sous le numéro cité en référence. Je souhaite donc que mon contrat prenne fin à la date du 14 février 19...

Veuillez agréer, Monsieur le Directeur, l'expression de mes sentiments distingués.

Jacques Abensourt

P.J. : Copie du contrat d'assurance de mon nouvel appartement.

RÈGLES DE LA LETTRE

FAMILLE ET AMIS

TRAVAIL ET EMPLOI

ARGENT ET IMPÔTS

JUSTICE

ADMINISTRATION

Déclaration de sinistre

Lorsque l'on a subi un dommage pour lequel on est assuré (cambriolage, incendie, dégât des eaux, accident individuel...) il convient de déclarer ce sinistre par courrier. La lettre envoyée à son assureur signale les circonstances, évoque les dégâts et les victimes.

▄▄▄ Présentation

Écrivez sur une feuille de format standard 21 × 29,7. Gardez un exemplaire de votre déclaration de sinistre que vous envoyez, par lettre recommandée avec accusé de réception, à votre assureur.

▄▄▄ Quel doit être le contenu de votre lettre ?

1 Indiquez votre nom, votre prénom et votre adresse.

2 Précisez vos références, c'est-à-dire que vous devez indiquer le type de votre contrat (automobile, habitation...), ainsi que votre numéro de police ou de sociétaire.

3 Mentionnez le nom de la personne auprès de qui vous avez souscrit votre assurance et qui gère votre dossier, à l'aide de la formule : « À l'attention de Monsieur R... ou Madame V... ».

4 Datez votre lettre.

5 N'oubliez pas de signaler les circonstances du sinistre : date, heure, lieu et, éventuellement, les victimes et les témoins.

6 Signez.

7 En cas de vol, joignez les photocopies des factures des objets volés et le récépissé de la déclaration de vol.

8 Remplissez et joignez le formulaire lorsqu'il vous a été fourni par votre assureur. Il s'agit du formulaire de déclaration de sinistre ou de la déclaration de sinistre automobile.

▄▄▄ Dans quels délais faire une déclaration de sinistre ?

Dans la plupart des cas, dans les 5 jours suivant le sinistre. Si vous dépassez les délais prévus, certaines compagnies d'assurance considèrent ce retard comme un non-respect du contrat de votre part, et elles peuvent annuler les clauses de remboursement.

☐ En cas de vol à votre domicile : dans les 24 h. Vous devez déposer plainte immédiatement sans modifier les lieux. Vous devez joindre le récépissé de la déclaration de vol faite au commissariat.

☐ En cas de catastrophe naturelle : 10 jours après la parution de l'arrêté au Journal officiel.

▄▄▄ Que faire dans le cas d'un sinistre concernant deux appartements ?

Les deux personnes sinistrées doivent remplir ensemble le formulaire de l'assurance : « Constat amiable dégâts des eaux ».

Votre compagnie d'assurance fait expertiser le sinistre et évaluer les dégâts. Vous serez remboursé dans un délai d'un à deux mois.

Je vous informe qu'un sinistre est survenu dans mon appartement sis 14 rue Jean-Jaurès à Clermont. Un début d'incendie s'est déclaré le 17 octobre 19.. vers 19 h 30 dans la buanderie, causé par la surchauffe d'un sèche-linge.
Les dégâts subis sont uniquement matériels et s'élèvent à 15 000,- F (voir le devis des Ets D...)
Je vous serais reconnaissant de faire passer un expert de votre compagnie afin que nous puissions faire les réparations rapidement.
Veuillez agréer, Monsieur, mes sincères salutations.

MODÈLE DE DÉCLARATION

1

Pierre Daunoy
14, rue Ausone
16000 Angoulême

S.A.A.
4, rue Montmoreau
16000 Angoulême

Recommandée avec A.R.

2

N° de sociétaire : 16.2567 L
Contrat habitation
Objet :
Déclaration de sinistre

3 À l'attention de Madame V...

Angoulême, le 14 mars 19..

4

Madame,

Veuillez trouver ci-joint un formulaire de déclaration de sinistre.
Cette déclaration concerne un cambriolage, survenu à mon

5 domicile le 13 mars dernier, alors que j'étais à mon travail.

Je vous joins également :
— la copie du récépissé de déclaration de vol du commissariat de
police ;
— la photocopie des factures des objets volés.

Je tiens à votre disposition les originaux de ces pièces, ainsi
que tout renseignement pouvant compléter votre information.

Je vous prie d'agréer, Madame, l'expression de mes sentiments
les meilleurs.

6

Pierre Daunoy

7 P.J.(4) : — copie du récépissé de la déclaration de vol
— copies des factures : appareil photo, magnétoscope,
mini-chaîne hi-fi, ordinateur.

RÈGLES DE LA LETTRE

FAMILLE ET AMIS

TRAVAIL ET EMPLOI

ARGENT ET IMPÔTS

JUSTICE

ADMINISTRATION

Témoignage et attestation

Le témoignage, appelé aussi attestation, est un « document écrit affirmant la réalité d'un fait » : accident, cambriolage, agression, incendie... Il peut être demandé par la justice civile ou pénale, les administrations, les assurances...

■ Présentation

Écrivez impérativement à la main sur une feuille de format standard 21 × 29,7. Joignez la photocopie d'une pièce d'identité. Adressez votre plainte au demandeur, qui peut être un particulier, un avocat, un juge, un expert....

■ Quel doit être le contenu de votre attestation ?

1 Indiquez vos nom, prénoms, adresse, date et lieu de naissance, profession et nationalité.
2 Précisez si vous avez ou non un lien avec les parties concernées : auteur ou victime des faits. Ce lien peut être par parenté, par subordination (être employé de M. A...) : par collaboration (être associé de M. B...) : « Je déclare ne pas être parent avec M. C... ».
3 Décrivez clairement et brièvement les faits dont vous avez été le témoin en précisant : la date, le lieu, les circonstances...
4 Datez et signez.
5 Joignez un document justifiant de votre identité : fiche d'état civil, photocopie de votre carte nationale d'identité...

■ Peut-on refuser de rédiger (ou de signer) une attestation ?

☐ Oui, personne ne peut vous obliger à faire un tel document contre votre gré. Dans le cas d'une fausse attestation, son auteur risque des sanctions pénales.

☐ Certains témoignages ne peuvent être retenus en justice :
- le témoignage de certains condamnés ;
- en cas de divorce, le témoignage des descendants.

■ Règles à suivre pour rédiger un document à produire en justice

Employer un vocabulaire simple et précis.
Ne pas utiliser de mot en langue étrangère.
Éviter l'emploi du conditionnel.
Ne pas employer d'abréviation ou de sigle.
Ponctuer correctement et éviter les mots entre parenthèses.
Ne rien ajouter sous la signature (en bas de page).
Penser que la signature sert à valider le témoignage, identifier le témoin et démontrer la volonté du témoin à s'exprimer.

Je soussigné Richard Blanc, né le 18 mars 19.., de nationalité française, instituteur, demeurant 6, rue Ambroise-Cottet à Troyes, sans lien de parenté ou d'alliance avec Michèle Fournier, témoigne avoir vu le samedi 4 novembre 19.. cette dernière sortir de son domicile vers 23 heures.
J'ai connaissance que ce témoignage pourra être produit en justice. J'autorise Michèle Fournier à le verser devant le tribunal. Je suis par ailleurs informé qu'une fausse attestation m'exposerait à des sanctions pénales.
Fait à Troyes,
le 10 décembre 19..

Richard Blanc

P.J. Photocopie de ma carte d'identité

■ Vocabulaire

Acte sous seing privé : témoignage rédigé et signé librement par un particulier.
Acte authentique : témoignage reçu par un officier public (greffier, huissier, notaire, maire) et signé par le témoin.

MODÈLE D'ATTESTATION

1 *Je soussigné*
RAVAUD Henri, Pierre, Auguste
né le 06/08/19.. à ST-ÉTIENNE
de nationalité française
Exerçant la profession de kinésithérapeute
Demeurant à Gournay-sur-Marne, 6, rue du Pont 93460

2 *Déclare*
être ni parent, ni allié avec Monsieur Yves-Pierre CHAPUIS

3 *Atteste par la présente*
connaître Yves-Pierre CHAPUIS ainsi que son épouse Laurence
LE HOUQUE depuis environ 6 ans.
Leur préoccupation principale a toujours semblé être la
même : le sport équestre, pour lequel ils étaient, l'un comme
l'autre, passionnés.
Nous nous rencontrions lors de sorties amicales où jamais
leur attitude ne laissait percevoir de mésentente. Bien au
contraire, ils nous révélaient des projets (achat de propriété)
qui permettaient de penser que le couple s'entendait bien.
Par ailleurs, Laurence m'a confié sa préoccupation de ne
pouvoir envisager, pour l'instant, une maternité. Sur ce sujet,
Yves Pierre était en total accord avec son épouse.
Enfin, le départ de Laurence m'a d'autant plus surpris qu'il a
été soudain, et en aucun cas précédé par quelque plainte de
sa part envers Yves-Pierre.
Cette présente déclaration, faite en toute liberté, peut être
produite en justice : je sais que toute fausse déclaration peut
entraîner des poursuites pénales.

4 *Fait à Gournay-sur-Marne, le 06 février 19..*

Henri Ravaud

5 *P.J. : copie de ma carte nationale d'identité*

RÈGLES DE LA LETTRE
FAMILLE ET AMIS
TRAVAIL ET EMPLOI
ARGENT ET IMPÔTS
JUSTICE
ADMINISTRATION

Lettre de procuration

Acte appelé aussi mandat, par lequel une personne (le mandant) peut donner à une autre personne (le mandataire) le pouvoir de faire quelque chose en son nom. Une procuration s'établit lorsque le mandant se trouve dans l'impossibilité d'effectuer une démarche.

▆▆ Présentation

Il existe plusieurs formes de procuration suivant l'importance du mandat :
- la procuration sur papier libre, dite sous seing privé ;
- la procuration sur un formulaire prévu à cet effet par l'organisme concerné : mairie, poste, bureau de vote, préfecture... ;
- la procuration sous forme d'acte notarié, établie chez un notaire.

▆▆ Quel doit être le contenu d'une procuration ?

1 Indiquez l'identité du mandant (celui qui donne procuration), précédée par la formule : « Je soussigné... », suivie du nom, éventuellement du nom de jeune fille, des prénoms, de la date et du lieu de naissance, de la nationalité, de la profession et de l'adresse.
2 Dites clairement : « Je donne procuration pour... » (éventuellement, indiquez la durée de cette procuration).
3 Précisez l'identité du mandataire. Nom, éventuellement nom de jeune fille, prénoms, date et lieu de naissance, nationalité, profession et adresse.
4 Inscrivez à la main : « Bon pour pouvoir ».
5 Le mandant doit dater et signer.
6 Le mandataire doit déclarer qu'il accepte le pouvoir, en écrivant de sa main « lu et approuvé » et en signant.

▆▆ Qui peut être mandataire ?

Les conditions sont variables selon les démarches. À la poste, une personne, même mineure, peut être mandataire. Pour un vote par procuration, il faut mandater un autre électeur de la même circonscription.

Pour certaines procurations, il faut fournir la preuve de son incapacité à effectuer la démarche. Ainsi, pour un certificat de vie-procuration, il faut fournir des certificats médicaux.
Pour un vote par procuration, on doit justifier que l'on remplit certaines conditions (vous pouvez vous renseigner en consultant le code électoral dans les mairies, tribunaux ou commissariats).

▆▆ Quelle est la durée de validité d'une procuration ?

Vous pouvez en définir vous-même la durée, en l'indiquant sur la procuration.
Selon les cas, la durée de validité est variable. Un certificat de vie-procuration (effectué pour le retrait d'une pension par un tiers) n'est valable qu'un an. Une procuration pour les élections n'est valable que trois ans.

▆▆ Quand, et comment, peut-on mettre fin à une procuration ?

☐ De la part du mandant : la procuration peut être révoquée à tout moment. Le mandant peut contraindre le mandataire à lui restituer la procuration.

☐ De la part du mandataire : il peut renoncer à son mandat, mais doit en avertir auparavant le mandant.

▆▆ Vocabulaire

Certificat de vie-procuration : procuration délivrée sur demande par la mairie. Elle est nécessaire lorsqu'un pensionné malade doit faire toucher sa pension par une autre personne.
Seing : signature.

1 *Je soussigné Frédéric Guffroy né le 14 août 19..*
à Château-Thierry, de nationalité française, retraité,
2 *demeurant 50, boulevard Rocheplatte - 45600 Orléans, donne,*
par la présente, procuration à Madame Émilie Clavel,
3 *née Favreau le 8 septembre 19.. à Étampes, de nationalité*
française, sans profession, demeurant 8 bis, rue du
Lièvre-d'Or à Orléans, pour toutes opérations bancaires, à
l'agence Raveau de la Banque Lyons.
Et ce pour la durée de 6 mois.

4 *Bon pour pouvoir :*

5 *Fait à Orléans, le 6 septembre 19..*
        Frédéric Guffroy

6 *J'accepte le pouvoir ci-dessus.*
Lu et approuvé
        Émilie Clavel

RÈGLES DE LA LETTRE

FAMILLE ET AMIS

TRAVAIL ET EMPLOI

ARGENT ET IMPÔTS

JUSTICE

ADMINISTRATION

Dépôt de plainte

Il est nécessaire de déposer une plainte lorsque l'on a été victime d'une infraction (cambriolage, dégradation de domicile, menaces, coups et blessures, escroquerie, abus de confiance...), et que l'on désire obtenir réparation du dommage subi. L'auteur des faits sera poursuivi.

Présentation

Écrivez sur une feuille de format standard 21 × 29,7.

À qui adresser votre plainte ?

Adressez votre plainte au procureur de la République du tribunal de grande instance du lieu de l'infraction. Votre plainte peut aussi être adressée au commissariat de police, ou à la brigade de gendarmerie, qui la transmettra, après enquête.

Quel doit être le contenu de votre lettre ?

1 Indiquez vos nom, prénom, adresse, date et lieu de naissance, profession et nationalité.

2 Exposez clairement et brièvement l'objet de la plainte, la nature du délit ou du crime, les lieux, la date et les circonstances des faits : « Mariée depuis six ans, et mère de trois enfants en bas âge, mon mari Marcel D..., représentant de commerce, a quitté le foyer familial depuis six mois en invoquant un voyage d'affaires à l'étranger. Je n'ai plus aucune nouvelle de lui depuis décembre dernier, et me trouve dans une situation financière très précaire. Plusieurs collègues de mon mari, avec qui j'ai pris contact, m'ont laissé entendre qu'il serait parti avec une autre femme. »

3 Indiquez éventuellement l'identité de l'auteur, si vous la connaissez. Soyez prudent. En cas de non-lieu, la personne contre laquelle la plainte a été déposée peut, à son tour, saisir le tribunal et obtenir des dommages et intérêts. Si vous n'êtes pas sûr de votre fait, déposez une plainte contre X. Le juge d'instruction identifiera X.

4 Précisez les noms et adresses de témoins éventuels.

5 Déclarez : « J'ai l'honneur de déposer plainte pour abus de confiance, pour abandon du foyer familial... » ou éventuellement : « Je ne désire pas encore déposer plainte, mais je tiens à vous tenir au courant des faits exposés. »

6 Si vous avez été blessé, joignez les certificats médicaux précisant votre incapacité totale ou partielle, temporaire ou définitive. En cas de vol, évaluez le montant des biens volés et joignez les photocopies des pièces pouvant servir de preuve (factures, photos...).

Que se passe-t-il après le dépôt d'une plainte ?

☐ Le procureur de la République peut classer l'affaire : auteur non identifiable, infraction non caractérisée... Vous avez alors la possibilité d'exercer vous-même les poursuites, soit en citant votre adversaire devant un tribunal, soit en adressant une plainte au juge d'instruction.

☐ Le procureur de la République peut décider de poursuivre l'auteur des faits, en le convoquant devant le tribunal ou en ouvrant une information auprès du juge d'instruction.

Vocabulaire

Préjudice : dommage subi par une personne dans ses biens, son corps, son honneur (on parle dans ce cas de préjudice moral).

Procureur de la République : magistrat qui représente le ministère public au tribunal de grande instance. Il veille à l'application de la loi et dirige les enquêtes judiciaires.

Juge d'instruction : magistrat chargé de rassembler tous les éléments nécessaires pour établir la vérité, quand une personne est accusée d'une infraction grave.

Albert Veyrac
20, rue Diderot
18100 VIERZON

Monsieur le Procureur
de la République
Tribunal de grande instance
8, rue Arène
18000 Bourges

Vierzon, le 3 juin 19..

Monsieur le Procureur de la République,

1 Je soussigné, Albert Veyrac, ébéniste, né le 4 juin 19.. à Guéret, de nationalité française, demeurant à Vierzon, 20, rue Diderot, porte à votre connaissance le fait suivant :

2
3 Lundi 25 mai 19.., l'un de mes salariés, Jean-Louis Pagat, demeurant 4, rue Armand-Brunot à Vierzon, a emporté en mon absence plusieurs outils et matériaux m'appartenant, dont la valeur s'élève à 5 000,00 F.

Depuis ce jour, Jean-Louis Pagat ne s'est pas représenté à son travail et paraît s'être absenté de son domicile.

5 En conséquence, je porte plainte contre Jean-Louis Pagat pour vol par salarié.

Veuillez agréer, Monsieur le Procureur de la République, l'expression de mes sentiments respectueux.

Albert Veyrac

6 P.J. (12) : Copies des factures du matériel volé.

RÈGLES DE LA LETTRE
FAMILLE ET AMIS
TRAVAIL ET EMPLOI
ARGENT ET IMPÔTS
JUSTICE
ADMINISTRATION

Demande d'aide judiciaire

L'aide judiciaire permet aux personnes dont les revenus sont modestes d'obtenir l'assistance d'un avocat, d'un huissier (désignés par l'État) et de couvrir certains frais de justice : expertise, enquête... Selon le montant des ressources du demandeur, l'aide judiciaire peut être totale ou partielle.

■■■ Présentation

Écrivez sur une feuille de format standard 21 × 29,7. Envoyez en recommandé, avec accusé de réception : vous gardez ainsi la preuve de l'envoi et de la date d'intervention auprès de la justice.

■■■ À qui adresser votre lettre ?

☐ Pour les procès avec l'administration, vous faites la demande au bureau d'aide judiciaire du tribunal administratif de votre domicile.

☐ Pour les procès judiciaires (problèmes concernant les biens et les personnes), vous faites votre demande au bureau d'aide judiciaire du tribunal de grande instance de votre domicile.

Dans tous les cas, il est préférable de se renseigner, par téléphone, auprès du greffe du tribunal judiciaire ou administratif.

■■■ Quel doit être le contenu de votre lettre ?

1 N'oubliez pas d'indiquer votre nom, votre prénom et votre adresse.

2 Demandez un dossier d'aide judiciaire.

3 Précisez la nature du procès (divorce, licenciement, indemnisation...) Au vu de ces renseignements, on pourra vous indiquer si le tribunal est compétent.

4 Indiquez si le procès est à venir, ou s'il est déjà en cours.

■■■ Quels documents faut-il se procurer ?

Le dossier d'aide judiciaire doit comporter plusieurs documents.

- Si vous travaillez : vos feuilles de paye de l'année ou la déclaration de vos revenus (n'envoyez que les photocopies).

- Si vous êtes chômeur : l'attestation des allocations perçues.

- Si vous êtes marié, ou si vous avez des enfants : une fiche familiale d'état civil.

- Une copie de tous les actes de procédure qui vous ont été remis.

■■■ Combien de temps faudra-t-il attendre pour obtenir l'aide judiciaire ?

De 1 à plusieurs mois ; en cas d'urgence on peut obtenir une admission provisoire (la décision est prise par le président du bureau d'aide judiciaire).

Peut-on engager une procédure en attendant l'aide judiciaire ? Oui, et vous pouvez contacter un avocat qui accepte de vous aider dans le cadre de l'aide judiciaire.

■■■ Qui peut bénéficier de l'aide judiciaire ?

Tout Français, ou étranger, résidant en France, justifiant de certaines conditions de ressources.

L'aide judiciaire est totale, si votre revenu mensuel est environ de 10 % inférieur au SMIC.

L'aide judiciaire est partielle, si votre revenu mensuel est environ de 10 % supérieur au SMIC.

Ces plafonds de ressources augmentent en fonction du nombre de personnes à charge.

■■■ Doit-on rembourser une aide judiciaire ?

Si le demandeur de l'aide judiciaire perd le procès et est condamné, il est tenu de rembourser les frais engagés.

1 Maurice Servoz
5, rue Jean-Jaurès
69100 Villeurbanne

Tribunal de grande instance
de Lyon
Bureau d'aide judiciaire
Rue du Palais-de-Justice
69000 Lyon

Villeurbanne, le 9 mars 19..

Monsieur,

2 Je vous serais obligé de m'adresser un dossier d'aide judiciaire.

3 Je souhaiterais assurer ma défense dans la procédure de divorce engagée par mon épouse. Mais je ne dispose pas des ressources **4** suffisantes pour obtenir l'assistance d'un avocat lors du procès à venir.

Dans cette attente, je vous prie d'agréer, Monsieur, l'expression de mes sentiments respectueux.

Maurice Servoz

RÈGLES DE LA LETTRE
FAMILLE ET AMIS
TRAVAIL ET EMPLOI
ARGENT ET IMPÔTS
JUSTICE
ADMINISTRATION

Demande de modification d'une pension alimentaire

Le montant d'une pension alimentaire peut dans certains cas être modifié si, depuis la prononciation du divorce, la situation financière, professionnelle ou l'état de santé de la personne divorcée l'exigent.

▆▆▆ Présentation

Écrivez sur une feuille de format standard 21 × 29,7. Gardez l'original de chaque document, n'envoyez que les photocopies.

▆▆▆ À qui adresser votre lettre ?

Au président du tribunal de grande instance, section affaires matrimoniales, du lieu de résidence effective des enfants ou, à défaut, du défendeur (c'est-à-dire votre ex-conjoint).

▆▆▆ Quel doit être le contenu de votre lettre ?

1 Indiquez vos nom, prénom et adresse.
2 Indiquez aussi les nom, prénom et adresse de votre ex-conjoint (pour les femmes, leur nom de jeune fille).
3 Notez la date de votre divorce et le tribunal où il a été prononcé.
4 Précisez les clauses du jugement, c'est-à-dire tout ce qui concerne le montant de la pension et le droit de garde et de visite des enfants.
5 Exposez votre demande de modification, et les raisons pour lesquelles vous intervenez : « Je souhaiterais que le montant de la pension alimentaire soit fixé à ... F car je suis actuellement sans emploi... ».
6 Joindre les photocopies des pièces suivantes :
- copie de la décision du divorce (ou séparation de corps) ;
- copie de l'acte d'état civil où est inscrit votre divorce ;
- fiche familiale d'état civil ;
- copie du dernier avis d'imposition fiscale ;
- copie des trois derniers bulletins de salaire.

▆▆▆ Que se passe-t-il ensuite ?

Vous recevrez une convocation du greffe du tribunal de grande instance, dans un délai variable. Vous devez vous présenter vous-même, muni de toutes les pièces que vous jugerez nécessaires. C'est au demandeur de fournir les preuves de ce qu'il avance.

▆▆▆ Quel est le coût de cette démarche ?

Les frais sont payés par le demandeur. Les frais d'huissier s'élèvent à environ 600 F. À ceux-ci s'ajoutent éventuellement des frais d'expertise ou d'enquête sociale.

▆▆▆ Vocabulaire

J.A.M. : juge des affaires matrimoniales, spécialiste juridique des affaires concernant le mariage et le divorce.
Enquête sociale : le tribunal ou le juge des affaires matrimoniales peut ordonner une enquête sociale, afin de s'informer du bien-fondé de la demande de modification. L'enquêteur social interroge toutes les personnes pouvant fournir des renseignements utiles à l'affaire : famille, voisins, relations de travail. Un rapport est rédigé et communiqué au juge comme aux parties concernées. Une demande de contre-enquête peut être envisagée.
Pension alimentaire : elle est versée à l'ex-conjoint et aux enfants mineurs ; elle est déductible de l'impôt sur le revenu ; elle est en principe indexée sur l'indice national des prix à la consommation tous les 2 ans.
Obligation alimentaire : c'est une aide matérielle due entre parents proches (enfants, conjoints, parents, grands-parents) en cas de nécessité.

1 Maurice Bernadec
6, rue Vincin
56000 Vannes

Monsieur le Président du
Tribunal de grande instance,
Section Affaires matrimoniales
6, place des Récollets
Digne

2 Mon ex-épouse
Nadine Chabrol
12, av. Paul-Arène
04200 Sisteron

Vannes, le 15 février 19..

Monsieur le Président,

3 Lors de mon divorce, prononcé il y a quatre ans, le 25 mai 19..,
le tribunal de Vannes a confié la garde de nos deux enfants à
4 mon ex-épouse, et m'a condamné au versement d'une pension
alimentaire s'élevant à 3 900 F.

5 Je souhaiterais que cette pension soit réduite, provisoirement, à
700 F.

Au moment du jugement, je gagnais 11 500 F. Depuis sept
semaines, je suis sans emploi et ne dispose que de 2 800 F par
mois.

Dans l'attente de votre réponse, je vous prie d'agréer, Monsieur
le Président, l'expression de mes sentiments respectueux.

M. Bernadec

P.J. (7) :
— Copie de la décision du divorce du 25.5.19..
— Copie de l'acte d'état civil.
6 — Fiche familiale d'état civil.
— Copie du dernier avis d'imposition fiscale.
— Copies des 3 derniers bulletins de l'ASSEDIC.

RÈGLES DE LA LETTRE

FAMILLE ET AMIS

TRAVAIL ET EMPLOI

ARGENT ET IMPÔTS

JUSTICE

ADMINISTRATION

Demande d'annulation d'une décision administrative

Pour demander l'annulation d'une décision administrative, il est souvent nécessaire d'effectuer au préalable une réclamation auprès de l'administration concernée. Lorsque toutes les démarches ont échoué, il est possible de recourir au tribunal administratif.

Présentation

Écrivez sur une feuille de format standard 21 × 29,7.

Envoyez trois exemplaires de votre lettre : deux pour votre dossier au tribunal et un pour l'administration concernée. Gardez l'original de chaque document, n'envoyez que les photocopies.

Envoyez par lettre recommandée avec accusé de réception.

À qui adresser votre lettre ?

Au tribunal administratif de votre lieu de résidence. Les tribunaux administratifs sont interdépartementaux (un pour plusieurs départements).

Quel doit être le contenu de votre lettre ?

1 Indiquez vos nom, prénoms et adresse.
2 Exprimez clairement l'objet de votre demande : « Je sollicite l'annulation de... ».
3 Rappelez brièvement les faits, et indiquez avec précision les dates de vos interventions auprès des services administratifs : « Par un avis du 15 novembre 19... ».
4 Précisez les raisons pour lesquelles vous intervenez : « Je persiste dans ma demande pour telle ou telle raison... ».

De quels délais disposez-vous ?

Pour contester une décision administrative, vous disposez de quelques semaines après la prise de décision. Le délai est variable selon les types de décision (en principe il est de 2 mois). Vous pouvez vous renseigner auprès de l'administration concernée ou auprès du Centre interministériel de renseignements administratifs, le C.I.R.A., de votre département (uniquement par téléphone).

Combien de temps faut-il attendre ?

Une décision de la part du tribunal administratif prend du temps et la procédure risque d'être longue, elle varie de une à deux années.

La procédure est gratuite, cependant certains frais peuvent être à la charge du demandeur : frais d'expertise, témoin...

Cas où une demande d'annulation de décision administrative peut être envisagée

- Refus de permis de construire.
- Désaccord avec un avis de recouvrement fiscal.
- Désaccord avec un nouvel arrêté municipal qui vous affecte personnellement : rue, voirie, expropriation.

Pour se lancer dans ce genre de procédure, il faut avoir épuisé tous les autres recours : réclamations, démarches, interventions...

Vocabulaire

Tribunal administratif : tribunal qui juge les procès entre les particuliers et l'administration (ou entre deux administrations).
Dégrèvement : diminution de l'imposition.
Solliciter : demander en attirant l'attention.
P.J. (8) : 8 pièces jointes (il est utile d'en préciser le nombre pour éviter la perte de ces documents).
Frais réels : en matière d'impôt, dépenses justifiées (avec factures) dans l'exercice d'une profession que l'on peut déduire des revenus imposables.
Frais forfaitaires : en matière d'impôt, dépenses estimées par l'État, dans l'exercice d'une profession, dont le taux varie d'une profession à l'autre.

MODÈLE DE LETTRE

1 Antoine Prat
54, Av. Edmond-Grasset
17000 La Rochelle

Monsieur le Président du
Tribunal administratif de POITIERS
28-30, rue Théophraste-Renaudot
86020 Poitiers

Lettre recommandée avec A.R.

La Rochelle, le 15 mai 19..

Monsieur le Président,

2 J'ai l'honneur de solliciter le dégrèvement de l'imposition supplémentaire qui a été mise à ma charge au titre de l'année 19..

3 Dans ma déclaration de revenu initiale, j'avais demandé une déduction de mes frais réels occasionnés par l'exercice de ma profession : électricien-monteur. Par un avis du 15 novembre 19.., l'inspecteur des impôts a rejeté ma demande de déduction, à savoir :
— frais de transport du domicile au lieu de travail
  5 000 km × 1,36 F = ... 6 800 F
— frais de repas et d'hébergement occasionnés par
  mes déplacements professionnels .... 4 000 F
— frais de formation (stages) .... 2 500 F

  13 300 F

Il a appliqué la déduction forfaitaire de 10 %, estimant que les frais de repas, d'hébergement et de formation n'étaient pas justifiés.

4 Je persiste dans ma demande de dégrèvement pour les raisons suivantes :
  — durant cette année j'ai occupé 3 emplois intérimaires, respectivement à Niort, Saintes et Jonzac ;
  — habitant dans la région de La Rochelle, j'ai dû, lors de mon dernier emploi, trouver un hébergement sur place ;
  — la profession que j'exerce m'oblige à un recyclage permanent. Les stages que j'ai suivis étaient donc indispensables.

Je vous prie d'agréer, Monsieur le Président, l'expression de mes sentiments distingués.

Antoine PRAT

P.J. (8) : Photocopies des factures : essence, restaurants, hôtels...,
Photocopie de déclaration d'impôt.
Photocopies du courrier de votre contrôleur des impôts.

RÈGLES DE LA LETTRE

FAMILLE ET AMIS

TRAVAIL ET EMPLOI

ARGENT ET IMPÔTS

JUSTICE

ADMINISTRATION

Demande d'indemnisation à un tribunal administratif

Un particulier peut demander une indemnisation à une administration qui lui a causé certains dommages. Cette demande est faite au tribunal administratif dont relève le domicile.

▬ Présentation

Écrivez votre demande sur une feuille de format standard 21 × 29,7. Faites autant d'exemplaires que de parties en cause : si trois personnes sont concernées, faites trois exemplaires. Gardez l'original de chaque document, n'envoyez que des photocopies. Envoyez votre demande par lettre recommandée avec accusé de réception.

▬ À qui adresser votre lettre ?

Téléphonez au tribunal administratif interdépartemental (un pour plusieurs départements), afin de savoir si votre affaire relève du tribunal administratif de votre domicile, ou de celui où s'est produit le dommage.

▬ Quel doit être le contenu de votre lettre ?

1 Indiquez votre nom, votre prénom et votre adresse.

2 Exprimez clairement l'objet de la demande : « J'ai l'honneur de solliciter l'indemnisation... ».

3 Indiquez les éléments, les dates et les lieux : « ... Le 12 février 19.., je circulais sur la route... ». Ils permettront au président du tribunal de bien comprendre votre problème.

4 Rappelez les faits, avec clarté et concision : « J'ai perdu l'équilibre... ».

5 Précisez les raisons pour lesquelles vous intervenez : « Ces travaux n'étaient pas signalés, il s'agit donc d'un dommage de travaux publics ».

6 Joignez tout document pouvant justifier votre demande :
- certificats médicaux,
- factures de réparation,
- constat d'huissier,
- témoignage écrit.

▬ Comment chiffrer votre préjudice ?

☐ Si votre accident a des conséquences matérielles : comptabilisez tous les frais de réparation, remorquage, constat d'huissier...

☐ Si votre accident a des conséquences corporelles : comptabilisez les frais médicaux et pharmaceutiques. Indiquez votre numéro de Sécurité sociale.

☐ La procédure risque d'être longue : de 1 à 3 ans. Vous pourrez demander des intérêts, car ils ne sont pas accordés d'office avec le montant de l'indemnisation.

▬ Vocabulaire

Tribunal administratif : tribunal qui juge les procès entre les particuliers et l'administration (ou entre deux administrations).

Préjudice : dommage dû à des travaux publics (accident routier provoqué par un chantier mal signalé, inondation occasionnée par des ruptures de canalisations publiques), ou dû à un service public (paralysie à la suite d'une piqûre mal faite, incarcération par erreur).

Pretium doloris : prix de la douleur physique. Vous l'évaluez vous-même, et le juge en fixera le montant définitif.

Solliciter : demander en attirant l'attention.

Indemniser : dédommager un préjudice avec une somme d'argent.

Requête : demande faite auprès d'une juridiction.

P.J. (5) : 5 pièces jointes. Il est utile d'en préciser le nombre pour éviter la perte des documents.

1 Robert Reuze
2, rue des Récollets
59670 Cassel

N° Sécurité sociale :
1 65 03 59 350 045

Monsieur le Président du
Tribunal administratif de Lille
143, rue Jacquemars-Giélée
59000 Lille

Lettre recommandée avec A.R.

Cassel, le 15 mars 19..

Monsieur le Président,

2 J'ai l'honneur de solliciter l'indemnisation des préjudices subis lors d'un accident de la circulation, survenu le 12 février 1986 au lieu-dit « Le Rossignol ».

3 Le 12 février 19.., je circulais en cyclomoteur sur la route départementale n° 11, reliant la commune de Cassel à celle d'Arneke. Au lieu-dit « Le
4 Rossignol », j'ai perdu l'équilibre car la chaussée était défoncée. Cette excavation, d'une profondeur d'environ 30 cm, avait été pratiquée le jour même par la S.A. Trappes & Cie, sise 10, rue Cappel à Hazebrouck, qui effectuait des travaux sur cette voie.

Ces travaux, comme l'atteste le constat d'huissier de Me Pick, ne faisaient l'objet d'aucune signalisation.

5 S'agissant d'un dommage de Travaux Publics, je demande au Tribunal Administratif de déclarer l'entreprise Trappes totalement responsable et de la condamner à réparer le préjudice que j'ai subi, à savoir :

— dommages matériels :	— réparations du cyclomoteur	1 800 F
	— vêtements abîmés	400 F
— dommages corporels	— frais médicaux	1 200 F
	— frais pharmaceutiques	343 F
— constat d'huissier		360 F
— pretium doloris		1 000 F
	Total	5 103 F

Je souhaite par ailleurs que ces sommes portent intérêt à compter de la date de ma requête.

Je vous prie d'agréer, Monsieur le Président, l'expression de mes sentiments distingués.

Robert Reuze

6 P.J. (5) : Constat de Me Pick, huissier
Facture des réparations du vélomoteur
Facture concernant les vêtements
État des frais médicaux
État des frais pharmaceutiques

RÈGLES DE LA LETTRE
FAMILLE ET AMIS
TRAVAIL ET EMPLOI
ARGENT ET IMPÔTS
JUSTICE
ADMINISTRATION

Demande d'indemnisation à l'État

On peut demander une indemnisation à l'État lorsque l'on a été victime d'un préjudice (agression, vol, accident, etc.) et que l'on estime avoir obtenu une indemnisation insuffisante.

■■■ Présentation

Écrivez sur une feuille de format standard 21 × 29,7. Gardez l'original de chaque document, n'envoyez que les photocopies. Envoyez votre demande par lettre recommandée avec accusé de réception.

■■■ À qui adresser votre lettre ?

Au secrétaire de la Commission d'indemnisation des victimes d'infraction siégeant au tribunal de grande instance de votre circonscription judiciaire. Ou éventuellement au magistrat chargé de juger l'infraction dont vous avez été victime.

■■■ Quel doit être le contenu de votre lettre ?

1 Indiquez vos nom, prénom, adresse, date et lieu de naissance, profession et nationalité. Si vous agissez au nom de la victime, précisez votre lien de parenté.

2 Exposez brièvement et clairement les faits : date, lieu, circonstances de l'infraction : « Le 24 mars 19.., sur le parking du magasin C... à Bléré, alors que je me dirigeais vers l'entrée du magasin, une voiture est arrivée à ma hauteur et ses occupants m'ont arraché mon sac... ».

3 Fournissez tous les éléments justifiant votre demande :
- Nature des blessures (certificats médicaux, expertise médico-légale...).
- État de la situation avant l'événement (état de santé, profession...).
- État de la situation après l'événement (incapacités temporaires, définitives, partielles ou totales, et leurs conséquences financières).
- La juridiction pénale qui a jugé l'infraction et éventuellement la condamnation de l'auteur : « M. Y. Duval jugé le 20 octobre 19..

a été condamné par le tribunal correctionnel de Tours à... ».
- Les organismes qui vous ont indemnisé et ceux qui ont refusé (donner les raisons du refus) : Sécurité sociale, assurance personnelle, Fonds de garantie automobile...

4 Précisez, éventuellement, le montant de l'indemnité réclamée.

5 Fournissez tous les documents relatifs au préjudice (leur photocopie) ainsi que la copie de la déclaration de vos revenus ou le certificat de non-imposition.

■■■ Dans quels délais cette demande doit-elle être faite ?

☐ Cette demande doit être faite dans les trois ans qui suivent la date de l'accident.

☐ La procédure d'indemnisation est assez longue, mais en cas d'urgence vous pouvez demander une provision à la commission, qui statuera dans un délai d'un mois.

■■■ Comment calculer le montant de l'indemnité ?

☐ Comptabilisez l'ensemble des frais et la diminution de revenus qu'a pu vous occasionner cet événement. L'Institut national d'aide aux victimes (14, rue Ferrus, 75014 Paris) peut vous aider à constituer votre dossier.

☐ Le montant de l'indemnité varie en fonction du caractère de l'infraction. Seuls les préjudices physiques, moraux ou professionnels résultant d'infractions graves sont couverts intégralement, sans condition de ressources. Toutefois, l'indemnisation peut être réduite ou refusée en raison de la faute de la victime. Les infractions ne présentant pas un net caractère de gravité (vols, escroqueries, abus de confiance...) sont indemnisés sous conditions.

MODÈLE DE LETTRE

1 Rodolphe Daumier
32, rue Gabriel-Richault
37500 Chinon

Tribunal de grande instance
Commission d'indemnisation
des victimes d'infraction
Lettre recommandée
avec A.R.
Place Jean-Jaurès
37000 Tours

Objet :
Demande d'indemnisation

Chinon, le 3 juin 19..

Monsieur,

1 J'ai l'honneur de solliciter pour ma femme, Annie Daumier, née
Charles, le 2 juin 1957 à Tours, de nationalité française,
infirmière, le bénéfice de la loi d'indemnisation par l'État.

2 Mon épouse, victime d'une violente agression le 6 février
dernier, remplit, je pense, les conditions requises :
— une incapacité permanente
— des auteurs insolvables
3 — aucun dédommagement
— des conditions de vie complètement changées (physiquement
et financièrement).

Veuillez trouver ci-joint les pièces justificatives pour la
constitution du dossier.

Dans l'attente de votre réponse, je vous prie d'agréer, Monsieur,
l'expression de mes sentiments distingués.

Rodolphe Daumier

P.J. (7) :
5 — Résumé des faits.
— Copie de la plainte déposée le 7 février 19..
— Copie de la décision de justice envers les auteurs du 4 avril 19..
— Copies de 3 certificats médicaux.
— Copie de notre déclaration de revenus.

RÈGLES DE LA LETTRE
FAMILLE ET AMIS
TRAVAIL ET EMPLOI
ARGENT ET IMPÔTS
JUSTICE
ADMINISTRATION

Demande d'indemnisation après un acte terroriste

Toute personne de nationalité française ou de la communauté européenne, victime d'un attentat terroriste sur le territoire national, peut obtenir réparation des préjudices qu'elle a subis.

■ Présentation

Écrivez sur une feuille de format standard 21 × 29,7. Gardez l'original de chaque document, n'envoyez que des photocopies. Envoyez votre demande par lettre recommandée avec accusé de réception.

■ À qui adresser votre lettre ?

Au Fonds de garantie automobile, 64, rue Defrance, 94307 Vincennes.

■ Quel doit être le contenu de votre lettre ?

1 Indiquez vos nom, prénom, adresse, date et lieu de naissance, profession et nationalité. Si vous agissez au nom de la victime, qu'elle soit décédée ou dans l'incapacité d'écrire, précisez votre état civil et votre lien de parenté.
2 Formulez votre demande d'indemnisation.
3 Exposez clairement les faits (date, lieu et circonstances de l'attentat), même si, en général, le Fonds de garantie en a déjà été informé par les autorités compétentes.
4 Décrivez les dommages corporels dont vous avez été victime :
- préjudices physiques et moraux (joindre les certificats médicaux) ;
- préjudices professionnels et familiaux (état de votre situation avant et après l'événement, répercussions financières). Joignez une copie de votre déclaration de revenus.
5 Précisez si vous avez déjà obtenu des indemnités d'autres organismes (Sécurité sociale, mutuelle, assurance). Joignez toutes les pièces justificatives.

■ Qu'est-ce qu'un acte terroriste ?

Il s'agit d'une infraction (homicide volontaire, utilisation d'explosifs, coups et blessures volontaires...) qui vise à troubler gravement l'ordre public, par l'intimidation ou la terreur. Il ne faut pas confondre l'attentat terroriste avec l'infraction de droit commun (par exemple un vol à main armée avec prise d'otages), car le mode d'indemnisation n'est pas le même.

■ Quels sont les préjudices indemnisés ?

☐ Seuls les dommages corporels sont indemnisés par le Fonds de garantie, qui intervient à titre de complément si des indemnités ont déjà été versées par d'autres organismes.

☐ S'agissant des préjudices matériels, il faut savoir que les compagnies d'assurance de biens n'ont pas le droit d'exclure de leurs garanties les dommages résultant d'actes de terrorisme ou d'attentats commis sur le territoire national.

■ Dans quels délais cette demande doit-elle être faite ?

☐ Aucun délai n'est prévu pour demander une indemnisation au Fonds de garantie. Par contre, cet organisme est tenu de vous répondre, et de vous verser éventuellement une provision, dans un délai d'un mois à compter de la réception de votre demande. Quant à l'offre d'indemnisation définitive, elle doit être présentée dans un délai de trois mois, à compter du jour où le Fonds de garantie reçoit les justificatifs du préjudice subi.

☐ Si votre demande a été refusée ou si vous estimez vos indemnités insuffisantes, vous pouvez assigner le Fonds de garantie en justice et obtenir des dommages et intérêts si votre argumentation est justifiée.

Thomas Calwaert
77, rue Carnot
21000 Dijon

Fonds de garantie automobile
64, rue Defrance
94307 Vincennes

Lettre recommandée avec A.R.

Objet :
Demande d'indemnisation

Dijon, le 15 septembre 19..

Monsieur,

Je soussigné, Thomas Calwaert, né le 5 avril 19.. à Bruxelles, de nationalité française et exerçant la profession d'acheteur pour la société B., ai l'honneur de solliciter une indemnisation en réparation de l'attentat terroriste dont j'ai été l'une des victimes.

Le 24 mai 19.., à 15 h 30, alors que je traitais une affaire avec mon fournisseur, Vincent Bonnet, une bombe a explosé au rez-de-chaussée du magasin dans lequel nous nous trouvions, 15, rue Dolette à Paris. Suite à cet attentat terroriste, je souffre d'une incapacité partielle à la main droite et d'une dépression nerveuse qui ne m'ont pas permis de reprendre, à ce jour, mes activités professionnelles.

Je vous prie de trouver, ci-joint, les pièces relatives aux préjudices que j'ai subis, et je me tiens à votre disposition pour tout renseignement complémentaire.

Veuillez recevoir, Monsieur, l'assurance de mes sentiments distingués.

Thomas Calwaert

P.J. (8) :
Copie de 5 certificats médicaux.
Copie des prises en charge de la Sécurité sociale et de la mutuelle Ceri.
Copie de ma déclaration de revenus.

RÈGLES DE LA LETTRE
FAMILLE ET AMIS
TRAVAIL ET EMPLOI
ARGENT ET IMPÔTS
JUSTICE
ADMINISTRATION

Lettre à un élu

Dans quels cas peut-on s'adresser à un élu ? Lorsque certaines démarches administratives n'aboutissent pas, lorsqu'un problème important se pose entre un particulier et un service administratif, lorsqu'une personne se trouve en situation critique ou lorsque l'on désire lui faire part de son opinion.

Présentation

☐ Écrivez sur une feuille de format standard 21 × 29,7. Gardez l'original de chaque document, n'envoyez que des photocopies.

☐ Comment connaître l'adresse d'un élu ? Vous pouvez l'obtenir à la mairie de votre commune.

Quel doit être le contenu de votre lettre ?

1 Indiquez votre nom, votre prénom, votre adresse et votre téléphone (cela permet de vous demander rapidement des informations complémentaires).

2 Datez votre lettre.

3 Exposez votre problème en termes simples : « Actuellement locataire d'un F2... ».

4 Expliquez brièvement les démarches déjà faites par ailleurs, et précisez les dates de ces démarches : « Le 15 octobre 19.. nous avons demandé à l'Office des H.L.M... ».

5 Exprimez clairement ce que vous attendez de l'élu : « Nous vous serions reconnaissants d'intervenir en notre faveur auprès de... » ou « Nous aimerions obtenir l'intervention du médiateur... ».

6 Joignez tous les documents et lettres qui font la preuve de vos démarches.

Quelques cas d'intervention

☐ Lorsque certaines démarches administratives n'aboutissent pas (demande de logement, demande de libération anticipée du service national, demande de diminution de la prestation compensatoire...), un élu peut intervenir.

☐ Lorsque la situation d'une personne est devenue critique : sans ressources, sans abri, on peut s'adresser à un élu.

☐ Lorsqu'un important problème se pose entre un particulier et un service administratif et qu'il est nécessaire de faire intervenir un médiateur, seul l'élu peut demander son intervention.

Que peut-on attendre d'une intervention ?

☐ Une information précise : on vous dira à quel service spécialisé vous adresser.

☐ Une personnalisation de votre dossier : on interviendra directement dans le service administratif concerné, et on mettra en évidence l'urgence de votre cas.

☐ Si votre cas se généralise, un aménagement ultérieur de la loi : n'oubliez pas que les députés proposent et votent les lois.

☐ Une demande d'intervention auprès du médiateur : seuls les députés ou les sénateurs peuvent faire cette demande.

Vocabulaire

Médiateur : trait d'union entre l'administration et les administrés. C'est une personnalité indépendante, qui a pour rôle de trouver des solutions entre administrés et administration, lorsque tous les recours ont échoué.
Conciliateur : personne chargée de régler les différends entre particuliers. Le conciliateur a une permanence au tribunal d'instance ou à la mairie. Il peut aider à éviter un procès et favoriser un règlement à l'amiable d'un problème.

1 Pierre et Fanny Sanchez
Bât. H.6. Concorde
rue Michel-Jazy
13700 Marignane

Monsieur...
Député des Bouches du Rhône
. . . .
13005 Marseille

Objet :
Demande de logement

2 Marignane, le 20 février 19..

Monsieur le Député,

3 Actuellement locataires d'un appartement de type F2, nous attendons une naissance vers la fin mai, et nous désirerions obtenir un logement plus grand.

4 Le 15 octobre 19.., nous avons demandé un appartement de type F4 à l'office des H.L.M. de Marignane. Quatre mois se sont écoulés, et nous n'avons toujours pas obtenu de réponse.

5 Nous vous serions reconnaissants d'intervenir en notre faveur auprès de l'Office des H.L.M. Nous aimerions emménager dans notre nouvel appartement avant la naissance de notre enfant.

Avec nos remerciements, nous vous prions d'agréer, Monsieur le Député, l'expression de nos sentiments respectueux.

Pierre Sanchez

6 P.J. : Copie de la lettre envoyée à l'Office des H.L.M.

RÈGLES DE LA LETTRE
FAMILLE ET AMIS
TRAVAIL ET EMPLOI
ARGENT ET IMPÔTS
JUSTICE
ADMINISTRATION

Demande d'un acte d'état civil

L'acte d'état civil atteste de l'existence légale d'une personne. Il mentionne la date et le lieu de naissance, de mariage ou de décès. L'acte d'état civil peut être nécessaire en diverses circonstances : mariage, divorce, demande d'allocation, naturalisation...

■■■ Présentation

Écrivez sur une feuille de format standard 21 × 29,7.
Pour éviter les confusions sur votre indentité, écrivez votre nom en lettres majuscules.
Pour la réponse, joignez une enveloppe libellée à votre adresse et affranchie.

■■■ À qui adresser votre lettre ?

☐ Si la naissance, le mariage ou le décès a eu lieu en France, adressez votre lettre à la mairie où la cérémonie s'est déroulée.

☐ Si la naissance, le mariage ou le décès a eu lieu dans les départements ou territoires d'outre-mer et que vous résidez en métropole, adressez-vous au Ministère des Départements et Territoires d'outre-mer, Service d'état civil, 27, rue Oudinot, 75700 Paris.

☐ Si la naissance, le mariage ou le décès a eu lieu à l'étranger ou dans les anciens départements d'Afrique du Nord, adressez-vous au Ministère des Affaires étrangères, Service central de l'état civil, 5, bd Louis Barthou BP 1056, 44035 Nantes Cedex 01. Il est inutile de joindre une enveloppe timbrée pour la réponse.
Les actes sont gratuits ; vous les recevrez sous une huitaine de jours.

■■■ Quel doit être le contenu de votre lettre ?

1 Précisez votre nom, votre prénom et votre adresse.
2 Indiquez le type d'acte d'état civil que vous désirez : naissance, mariage ou décès. Précisez la forme sous laquelle vous désirez obtenir cet acte.

☐ Copie d'acte d'état civil : photocopie du registre avec les mentions marginales (dates d'adoption, de légitimation, de divorce...).

☐ Extrait d'acte d'état civil : imprimé sur lequel sont reportés les nom, prénoms, date et lieu de naissance, de mariage ou de décès.

☐ Extrait d'acte d'état civil avec filiation : imprimé sur lequel sont mentionnés vos nom, prénoms, date et lieu de naissance et ceux de vos père et mère.
3 Vous devez fournir les indications suivantes : nom (nom de jeune fille pour les femmes mariées) ; prénoms (soulignez le prénom usuel) ; date et lieu de naissance, éventuellement le mariage ou le décès.
4 Signez.
5 Joignez si nécessaire une enveloppe timbrée.

■■■ Que faut-il faire si les registres ont disparu (guerre, incendie) ?

Vous pouvez vous adresser au tribunal d'instance de votre domicile, et l'on vous indiquera comment établir un acte de Notoriété. Cette procédure est également nécessaire si l'on ignore l'endroit où a été dressé l'acte, ou si, par erreur, l'acte n'a pas été dressé.

■■■ Vocabulaire

Fiche d'état civil : elle vous est fournie immédiatement dans toute mairie, sur simple demande et présentation d'un extrait d'acte de naissance ou de livret de famille. S'il n'est pas nécessaire que soient mentionnés les noms du père et de la mère, la carte d'identité ou le passeport suffit.
Extrait d'acte d'état civil : il atteste un point précis de votre existence (naissance, mariage ou décès).

1 Marie DIETRICH
2, av. de la Garenne
54000 Nancy

Mairie de Toulouse
Service de l'état civil
153, av. Lardenne
31040 Toulouse Cedex

Nancy, le 5 mars 19..

Monsieur,

2 Je vous serais obligée de m'adresser un extrait d'acte d'état civil de naissance.

3
Nom	: LABARÈS, épouse DIETRICH
Prénoms	: Marie, Jeanne, Charlotte
Date de naissance	: 15 mai 19..
Lieu de naissance	: Toulouse

Avec mes remerciements anticipés, recevez, Monsieur, mes salutations distinguées.

4 Marie Dietrich

5 P.J. : une enveloppe affranchie et libellée à mon adresse.

RÈGLES DE LA LETTRE
FAMILLE ET AMIS
TRAVAIL ET EMPLOI
ARGENT ET IMPÔTS
JUSTICE
ADMINISTRATION

Demande d'un extrait de casier judiciaire

Les condamnations prononcées par la justice sont enregistrées sur un fichier national : le casier judiciaire. On peut demander un relevé des mentions qui figurent sous son nom.

▰▰ Présentation

Écrivez sur une feuille de format standard 21 × 29,7. Joignez une enveloppe, libellée à votre adresse et affranchie.

▰▰ Quel doit être le contenu de votre lettre ?

1 Précisez votre nom et votre adresse.
2 Demandez l'extrait de votre casier judiciaire : bulletin n° 3.
3 Indiquez vos nom, prénoms, date et lieu de naissance (nom de jeune fille pour les femmes mariées).
4 Signez.
5 Joignez un document justifiant de votre identité : fiche d'état civil ou photocopie de votre carte nationale d'identité.

▰▰ Quels sont les délais ?

☐ Il faut compter 8 à 15 jours pour obtenir un extrait de casier judiciaire.

☐ Combien de temps ce document reste-t-il valable ? Il reste valable trois mois.

☐ Quels sont les frais ? Ces extraits sont délivrés gratuitement.

▰▰ À qui adresser votre lettre ?

☐ Si vous êtes né en métropole : au Casier judiciaire national, 107, rue Landreau 44079 Nantes Cedex.

☐ Si vous êtes né dans un département ou territoire d'outre-mer : au greffe du tribunal de grande instance dont dépend votre lieu de naissance.

▰▰ Qui peut obtenir ces documents ?

	Bulletin n° 1	Bulletin n° 2	Bulletin n° 3
Ce qui est inscrit sur le bulletin.	Sur ce bulletin sont inscrites toutes les condamnations.	Sur ce bulletin ne sont inscrites que certaines condamnations.	Sur ce bulletin sont inscrites les condamnations à plus de deux ans d'emprisonnement et certaines interdictions.
Pouvez-vous l'obtenir ?	non	non	oui
L'administration peut-elle l'obtenir ?	non	oui	non
Les autorités judiciaires peuvent-elles l'obtenir ?	oui	non	non

1 Jacques Pfister
21, rue Daguerre
68200 Mulhouse

Casier judiciaire national
107, rue Landreau
44079 Nantes Cedex

Mulhouse, le 10 octobre 19..

Monsieur,

2 Je vous serais reconnaissant de m'adresser un extrait de mon casier judiciaire, bulletin n° 3.

3
Nom :	Pfister
Prénoms :	Jacques, Henri
Date de naissance :	27 septembre 19..
Lieu de naissance :	Strasbourg (67)

Avec mes remerciements anticipés, je vous prie d'agréer, Monsieur, l'expression de mes sentiments distingués.

4 Jacques Pfister

5 P.J. (2) :
Une enveloppe affranchie et libellée à mon adresse.
Une fiche d'état civil.

RÈGLES DE LA LETTRE
FAMILLE ET AMIS
TRAVAIL ET EMPLOI
ARGENT ET IMPÔTS
JUSTICE
ADMINISTRATION

Demande de justificatif du service militaire

L'état signalétique du service militaire est un document administratif. Cet extrait de service peut être nécessaire pour certaines démarches administratives.

■ Présentation

Écrivez lisiblement sur une feuille de format standard 21 × 29,7. Joignez une enveloppe timbrée et libellée à votre adresse.

■ À qui adresser votre lettre ?

☐ Pour les classes de 1890 à 1907 :
au Service des Archives du département.

☐ Pour les classes de 1908 à 1935 :
au Bureau central d'Archives administratives militaires, Caserne Bernadotte 64032 Pau Cedex.

☐ Pour les classes de 1936 à 1946 :
au Bureau spécial de recrutement, Caserne Marceau 28018 Chartres Cedex.

☐ Pour les classes de 1947 et suivantes :
au bureau du service national d'origine ou bureau de recrutement, c'est-à-dire celui de votre domicile au moment de votre recensement. L'adresse est indiquée sur votre livret militaire ou carte de service national.

■ Quel doit être le contenu de votre lettre ?

1 Votre adresse actuelle.
2 Le motif de la demande, et éventuellement la photocopie du décret de naturalisation.
3 Vos nom, prénoms, date et lieu de naissance.
4 Votre numéro de matricule.
5 Le bureau du service national où vous avez été recensé.
6 Le centre de sélection.
7 La date d'incorporation.
8 La première unité d'affectation à laquelle vous avez appartenu.
9 Le dernier grade obtenu.

■ Quels délais faut-il attendre pour recevoir ce document ?

Il faut patienter en général de 8 à 10 jours, dans certains cas 1 mois.
Retenez que cet extrait est délivré gratuitement, mais une seule fois.
Il faudra donc toujours en conserver l'original.

■ Quels sont les documents militaires à conserver ?

Conservez toujours votre carte du service national ou votre livret militaire. Conservez également une carte de déclaration de changement de domicile et de résidence, carte que vous devez faire établir à chaque déménagement par la brigade de gendarmerie ou le consulat de votre nouveau domicile.

■ Vocabulaire

Report initial d'incorporation : demande de retarder le service national jusqu'à 22 ans.
Report spécial : demande de retarder le service national après 22 ans. Il faut justifier, soit de la poursuite d'études ou de formation professionnelle, soit d'une situation sociale ou familiale difficile.
Coopération : service national effectué à l'étranger. La demande se fait 6 mois avant la date prévue de l'incorporation.
Aide technique : service national effectué dans les départements et territoires d'Outre-Mer. La demande se fait 6 mois avant la date prévue de l'incorporation.
Objection de conscience : service national effectué dans un service civil (administration, collectivité locale, organisme humanitaire). La demande se fait un mois avant la date d'incorporation.

MODÈLE DE LETTRE

Jean Mimoun
[1] 4 place St-Wallois
62170 Montreuil-sur-Mer

Bureau du Service National
Caserne Vincent
rue de Lille
59321 Valenciennes Cedex

Objet :
Demande d'extrait de service

Montreuil,
le 14 avril 19..

Monsieur,

[2] Je vous serais reconnaissant de me faire parvenir mon extrait de service militaire, nécessaire pour constituer mon dossier de demande de retraite.

NOM : Mimoun
[3] Prénoms : Jean Mehdi
Date et lieu de naissance : 20 avril 19..
à Isbergues - 62
[1] Adresse : 4 Place St-Wallois
à Montreuil-sur-Mer - 62170

[4] N° de matricule : 46.590.20500
[5] Bureau du Service National : Caserne Vincent à Valenciennes
[6] Centre de sélection : Lille
[7] Date d'incorporation : 2 octobre 19...
[8] Unité d'affectation : 58e R.I. de Douai
[9] Dernier grade : 1re classe-Sergent

Avec mes remerciements anticipés, recevez, Monsieur, mes sincères salutations.

Jean Mimoun

RÈGLES DE LA LETTRE
FAMILLE ET AMIS
TRAVAIL ET EMPLOI
ARGENT ET IMPÔTS
JUSTICE
ADMINISTRATION

Demande de naturalisation

Un étranger vivant en France depuis plus de cinq ans peut obtenir la nationalité française. Il doit faire sa demande par écrit au ministère des Affaires sociales et de l'Emploi.

▬ Présentation

Écrivez lisiblement sur une feuille de format standard 21 × 29,7.
Envoyez votre demande par lettre recommandée avec accusé de réception. Conservez un double de votre lettre.

▬ À qui adresser votre lettre ?

Votre demande s'adresse au ministère des Affaires sociales et de l'Emploi, mais c'est la préfecture de votre département qui doit la transmettre. Donc, envoyez votre lettre à la préfecture du département.

▬ Quel doit être le contenu de votre lettre ?

1 Indiquez votre nom, votre prénom et votre adresse.
2 Indiquez votre nationalité, votre date et votre lieu de naissance.
3 Dites depuis combien de temps vous résidez en France.
4 Signalez éventuellement si :
- votre père (ou votre mère) est français(e),
- votre conjoint est français,
- vous êtes engagé dans l'armée française,
- vous êtes titulaire d'un diplôme français.
5 Donnez tous les éléments qui vont montrer votre volonté de devenir français : vouloir effectuer ou avoir accompli le service militaire en France, être fiancé à une française, poursuivre ses études...
6 Exprimez clairement votre désir d'acquérir la nationalité française : « Je désire vivement acquérir la nationalité française... ».
7 Précisez si vous désirez ou non franciser vos nom et prénom.
8 Signez.

▬ Que se passe-t-il après la réception de votre demande ?

☐ Vous serez convoqué par la mairie de votre commune, pour remplir une « déclaration sous la foi du serment ».
Vous devrez constituer votre dossier c'est-à-dire réunir les pièces suivantes :
- un extrait de pièces d'état civil (naissance, mariage, divorce, naissance des enfants...) ;
- un certificat de position militaire ;
- une attestation de vos employeurs ;
- une photocopie conforme de vos diplômes ;
- un certificat de nationalité de votre mère, père ou conjoint, le cas échéant ;
- un certificat médical, rédigé par un médecin désigné par la préfecture ;
- deux photographies.
Les pièces en langue étrangère devront être traduites par vos soins, et légalisées (vous renseigner auprès de votre consulat d'origine).

☐ Si vous ne pouvez fournir de pièces d'état civil, présentez un livret de famille et un acte de notoriété. L'acte de notoriété est délivré par l'Office Français de Protection des Réfugiés ou Apatrides.
OFPRA, Tour Pariféric, 6, rue Émile-Reynaud 93306 Aubervilliers Cedex.

▬ Les délais d'attente

Le délai est de 18 mois. Si la demande est rejetée, aucun motif n'est fourni et aucun recours n'est possible.
La demande de naturalisation est gratuite. Toutefois, si la naturalisation est acceptée, il vous est demandé des droits de sceaux, variables en fonction de vos revenus.

1 Ralph Bright
42, rue Bénazet
12300 Decazeville

Lettre recommandée
avec A.R.

Ministère des Affaires Sociales
et de l'Emploi
S/co
Monsieur le Préfet
Commissaire de la République
Département de l'Aveyron
Place Charles-de-Gaulle
12000 Rodez

Decazeville le 03 février 19..

Monsieur le Ministre,

J'ai l'honneur de vous demander de bien vouloir me faire
connaître les démarches à accomplir en vue d'obtenir ma
naturalisation.

2 Je suis de nationalité anglaise, né de parents anglais à Norwich
(Grande-Bretagne) le 12.04.19.., Je réside en France depuis le
3 05.03.19.., c'est-à-dire depuis plus de cinq ans.

5 Actuellement, je suis étudiant en géologie et stagiaire aux
Éts V.I.L.. Je souhaite passer des concours pour entrer dans la
6 fonction publique, aussi je désire vivement acquérir la nationalité
française.

7 Par ailleurs, je désire conserver mes nom et prénom.

Dans l'attente de votre réponse, je vous prie d'agréer, Monsieur
le Ministre, l'expression de ma respectueuse considération.

8 Ralph Bright

RÈGLES DE LA LETTRE
FAMILLE ET AMIS
TRAVAIL ET EMPLOI
ARGENT ET IMPÔTS
JUSTICE
ADMINISTRATION

Demande pour changer de nom

Toute personne majeure, et de nationalité française, a la possibilité de changer son nom, ainsi que celui des enfants dont elle a la charge, si le motif invoqué est un motif légitime.

■ Présentation
Écrivez très lisiblement, ou tapez à la machine, sur papier libre. Faites deux exemplaires et conservez une photocopie.

■ À qui adresser votre requête ?
Adressez les deux exemplaires au ministre de la Justice, Direction des Affaires civiles et du Sceau, Sceau de France, 13, place Vendôme, 75042 Paris Cedex 01.

■ Quel doit être le contenu de votre lettre ?
1 Indiquez vos nom, prénom, adresse, date et lieu de naissance, profession et nationalité.
2 Exprimez votre demande de changement de nom. Précisez éventuellement le prénom, la date et le lieu de naissance des enfants mineurs au nom desquels vous agissez. La femme mariée n'a que l'usage du nom de son mari, et n'a donc pas à s'associer à cette demande.
3 Exposez les motifs qui incitent à l'abandon de votre nom d'origine. À titre indicatif, on peut invoquer la consonance ridicule ou péjorative de son nom, sa complexité ou sa consonance étrangère. Votre requête n'aboutira pas si vous donnez des raisons affectives ou commerciales.
4 Indiquez le nom que vous désirez acquérir, et justifiez votre choix. Vous pouvez par exemple prendre le nom de jeune fille de votre mère ou changer simplement quelques lettres de votre nom.
5 Engagez-vous à payer les droits de sceau (environ 1 000 F) relatifs à cette démarche. Un avis vous sera envoyé ultérieurement si votre requête est acceptée.
6 Formulez l'espoir d'une réponse favorable et utilisez une formule de politesse respectueuse.

■ Y a-t-il des démarches préalables ?
Vous devez faire publier la modification souhaitée dans le Journal officiel, ainsi que dans un journal d'annonces légales de votre lieu de résidence et de votre lieu de naissance. Lorsque le lieu de naissance, ou le domicile, est situé à l'étranger, la publication correspondante n'est pas exigée. Ces trois publications peuvent être demandées à la Société pour la publicité dans les journaux officiels, 64, rue de la Boétie, 75008 Paris.

■ Quelles sont les pièces à joindre ?
Pour constituer votre dossier, qui devra être transmis soit au service du parquet du tribunal de grande instance de votre domicile, soit au ministère de la Justice, vous devez fournir : un exemplaire de chacun des journaux, dans lesquels l'insertion a été faite ; l'acte de naissance de chacun des intéressés, majeur ou mineur, en copie intégrale ; une fiche individuelle, et le cas échéant familiale, d'état civil et de nationalité française ; le bulletin n° 3 du casier judiciaire de la personne majeure. Si vous agissez au nom d'un mineur, vous devez fournir également : le consentement écrit des mineurs de 15 ans et plus, confirmant la demande du représentant légal ; le consentement écrit de l'autre parent, s'il n'est pas déchu de ses droits parentaux.

■ Que se passe-t-il après réception de votre requête ?
Si votre demande est acceptée, un décret est publié. Vous pourrez demander la mention de votre nouveau nom sur vos actes d'état civil, un an après la publication de ce décret.

MODÈLE DE LETTRE

M. Bernard Lidiot
6, rue du Bois
78280 Guyancourt

Monsieur le Ministre de la Justice

Direction des Affaires civiles
et du Sceau

Objet :
Requête en vue
d'un changement de nom

Sceau de France
13, place Vendôme
75042 Paris Cedex 01

Guyancourt, le 28 novembre 19...

Monsieur le Garde des Sceaux,

1 Je soussigné, Bernard Lidiot, né le 4 avril 1959 à Orange, de nationalité française, domicilié 6, rue du Bois à Guyancourt (78) et exerçant la profession de représentant de commerce, ai l'honneur de solliciter en mon nom personnel ainsi qu'au nom de
2 ma fille Suzanne, née le 24 janvier 1982 à Guyancourt, un changement de nom.

3 Je souhaite en effet abandonner mon nom d'origine, dont la consonance ridicule me porte préjudice, tant sur un plan privé
4 que professionnel. Je désirerais substituer à mon nom patronymique celui de LIBOT, pour conserver une sonorité similaire.

5 Je m'engage à régler les droits de sceau afférant à cette démarche, et vous prie de trouver ci-joint les pièces constitutives de mon dossier.

6 En espérant que vous accéderez à ma demande, veuillez agréer, Monsieur le Garde des Sceaux, l'expression de ma respectueuse considération.

B. Lidiot

RÈGLES DE LA LETTRE
FAMILLE ET AMIS
TRAVAIL ET EMPLOI
ARGENT ET IMPÔTS
JUSTICE
ADMINISTRATION

Demande de visa pour le permis de chasser

Le permis de chasser est permanent, à condition d'être validé. Le visa annuel (un coup de tampon) est obligatoire et payant. Vous l'obtiendrez auprès des services municipaux.

■■ Présentation

Écrivez sur une feuille blanche format standard 21 × 29,7.
Gardez un double et envoyez par lettre recommandée, avec accusé de réception.

■■ À qui adresser votre lettre ?

Ecrivez au maire de la commune sur le territoire de laquelle vous exercerez votre droit de chasser.
Pour Paris, écrivez à la préfecture de police.

■■ Quel doit être le contenu de votre lettre ?

1 Votre adresse.
2 Les renseignements d'identité courants : nom, prénom, date et lieu de naissance.
3 Le numéro de votre carte d'identité et le lieu de sa délivrance.
4 Votre profession.
5 La demande de visa proprement dite, en précisant si vous désirez l'obtenir à titre : départemental, bidépartemental, national. Le coût du permis varie en fonction de ce choix.
6 Joignez les pièces suivantes :
- le permis de chasser,
- une copie de l'attestation d'assurance-chasse contractée auprès de n'importe quelle compagnie,
- éventuellement une attestation certifiant sa qualité de propriétaire foncier sur le territoire communal,
- le timbre fiscal annuel de la Fédération départementale des chasseurs,
- un timbre fiscal, nécessaire au paiement de la taxe communale (à acheter dans les perceptions),
- une enveloppe timbrée au tarif lettre recommandée, pour le retour du permis visé.

■■ Quel sera le délai de réponse ?

De huit à dix jours dans des conditions normales.

■■ Pourquoi donner tous ces renseignements d'identité ?

Ils serviront à remplacer le formulaire type que vous auriez à remplir à la mairie.

■■ Faut-il envoyer un chèque ?

Non, puisque vous aurez acquitté les taxes en achetant les différents timbres fiscaux.
Pour connaître le montant des taxes téléphonez ou écrivez à la Fédération départementale des chasseurs.

■■ Pourquoi prouver sa qualité de propriétaire dans la commune ?

Parce que vous aurez un tarif préférentiel, lors de votre adhésion à la société de chasse locale.

■■ À noter

Pour obtenir un permis de chasser, il est désormais obligatoire de suivre une formation pratique sur le maniement des armes et des munitions, et l'application des règles élémentaires de sécurité, en vue de subir un examen. Un étranger peut chasser deux fois par an (chaque fois pour une période de 48 heures) sans permis de chasser, à condition d'avoir souscrit une assurance-chasse.

■■ Vocabulaire

Année cynégétique : période durant laquelle la chasse est ouverte.

[1] Robert Messardi
9, rue Garibaldi
Castellar
06500 Menton

Mairie de Castellar
Service « Permis de chasser »
Place de la Mairie
Castellar
06500 Menton

Lettre recommandée
avec A.R.

Demande de visa
d'un permis de chasse

Castellar, le 2 août 19..

Monsieur le Maire,

[2] Je soussigné, Robert Messardi, né à Nice le 3 août 1920, de
[3] nationalité française, carte d'identité numéro 227 755 délivrée par
[4] la préfecture de Nice, exerçant la profession d'apiculteur, ai
[5] l'honneur de solliciter le visa de mon permis de chasser à titre
départemental.

Veuillez trouvez ci-joint, à l'appui de la présente demande :

   - une attestation certifiant ma qualité de propriétaire foncier
    sur le territoire communal,
[6]   - mon permis de chasser,
   - une copie de mon attestation d'assurance,
   - le timbre annuel délivré par la Fédération départementale
    des chasseurs,
   - le timbre fiscal,
   - une enveloppe timbrée.

Veuillez agréer, Monsieur le Maire, l'expression de ma
considération distinguée.

Robert Messardi

RÈGLES DE LA LETTRE
FAMILLE ET AMIS
TRAVAIL ET EMPLOI
ARGENT ET IMPÔTS
JUSTICE
ADMINISTRATION

Demande d'autorisation de défrichement

Certains types d'arbres étant protégés par la loi, il faut obtenir une autorisation avant de défricher un terrain. L'accord écrit des services municipaux est obligatoire.

▬ Présentation

Écrivez sur une feuille format standard 21 × 29,7.
Envoyez votre demande par courrier simple.
Écrivez au maire de la commune sur laquelle se situe le terrain que vous désirez défricher.

▬ Quel doit être le contenu de votre lettre ?

1 Précisez l'objet : « Demande d'autorisation de défrichement » et datez.
2 Rappelez votre état civil : « Je soussigné..., propriétaire à... ».
3 Exprimez votre demande de défrichement. Écrivez en toutes lettres : « sollicite l'autorisation de défricher ».
4 Décrivez succinctement les espèces végétales qui peuplent votre terrain (feuillus, résineux).
5 Précisez la superficie et les limites de votre terrain en utilisant les données cadastrales.
6 Indiquez enfin que le défrichement de votre terrain ne fait l'objet d'aucune interdiction du code forestier.
7 Joignez une enveloppe timbrée, pour la réponse.

▬ Ce qu'il faut savoir

Certaines espèces végétales sont protégées par la loi (par exemple l'olivier dont l'arrachage est interdit).
Dans certaines régions, les coupes « à blanc » sont interdites.
Si vous n'êtes pas sûr de vos droits, vous pouvez consulter le code forestier à la mairie.
Où peut-on obtenir les données cadastrales ?
À la mairie, en demandant à voir le cadastre.

▬ Quelle différence y a-t-il entre défrichement et débroussaillage ?

Contrairement au défrichement, le débroussaillage est un acte obligatoire, à respecter attentivement dans une région sensible au feu.

▬ Les limites de l'autorisation de défrichement

Dans certains départements, vous serez obligé de replanter une surface équivalente à celle défrichée. C'est la reconstitution « d'espaces verts » qui permet de maintenir les arbres et leur diversité.
L'autorisation est limitative, quant au fond et à l'espace. Si vous alliez au-delà, votre responsabilité resterait pleine et entière face à l'administration (commune, Office national des forêts, Équipement). Des sanctions pourraient vous être appliquées (amendes, obligation de reboiser). Veillez donc à vous conformer au code forestier, qui est un recueil de lois régissant toutes les forêts privées et publiques.

▬ Vocabulaire

Coupe « à blanc » : mettre le terrain à nu.
Défricher : ôter tous les végétaux d'un terrain.
Débroussailler : nettoyer un espace boisé, c'est-à-dire enlever les buissons, ronces, fougères... qui occupent le sous-bois.

MODÈLE DE LETTRE

Pierre Recolli
Place de l'Église
Moulinet
06380 Sospel

Objet :
1 Autorisation de défrichement

Monsieur le Maire
Moulinet
06380 Sospel

Sospel, le 28 décembre 19..

Monsieur le Maire,

2 Je soussigné Pierre Recolli, propriétaire à Moulinet, sollicite
3 l'autorisation de défricher un terrain boisé que je possède sur le
territoire de la commune de Moulinet, au lieu-dit Cabannes-Vieilles.

4 Le bois se compose de feuillus et de résineux. La parcelle
5 concernée, d'une superficie de 8 hectares 12 arcs, est inscrite au
plan cadastral section E, n° 324, 326, 327 et 330.

6 Ce bois ne relève d'aucune des conditions prévues au code
forestier, comme pouvant en faire reconnaître la conservation
nécessaire.

Dans l'attente de votre accord, je vous prie d'agréer, Monsieur
le Maire, l'expression de mes sentiments respectueux.

Pierre Recolli

7 P.J. : une enveloppe timbrée pour la réponse.

RÈGLES DE LA LETTRE

FAMILLE ET AMIS

TRAVAIL ET EMPLOI

ARGENT ET IMPÔTS

JUSTICE

ADMINISTRATION

Demande d'exhumation

Vous désirez transférer le corps d'un membre de votre famille d'un cimetière à un autre, ou dans un autre caveau. Vous devrez en demander l'autorisation, par courrier, à la mairie. Cette autorisation accordée par le maire transitera par le commissaire de police présent le jour de l'exhumation.

Présentation

Écrivez sur une feuille blanche de format standard 21 × 29,7. Envoyez votre lettre par courrier simple.

Adressez votre lettre au maire de la commune, sur le territoire de laquelle le défunt est enterré. À Paris, envoyez votre demande à la préfecture de police. La réponse est, en général, envoyée dans les dix jours.

Quel doit être le contenu de votre lettre ?

1 Vous devez décliner votre identité et votre adresse, en utilisant la formule légale : « Je soussigné..., domicilié..., agissant en qualité de... ».

2 Précisez la nature de votre relation avec le défunt (père, mère, frère ...). Joignez une pièce justificative de votre lien de parenté.

3 Rappelez l'identité du défunt, les dates de décès et de l'inhumation.

4 Donnez, avec précision, les raisons de l'exhumation.

5 N'oubliez pas la déclaration de principe, précisant que vous observerez les règlements de police et d'hygiène. Vous pouvez les consulter à la mairie.

6 Vous pouvez désigner, si vous le désirez, un parent ou un proche qui pourra éventuellement vous remplacer au moment de la levée du corps, en cas d'empêchement fortuit de votre part.

Qui peut faire la demande ?

Le plus proche parent du défunt : ascendant, descendant, collatéral, époux(se).

Qui doit être présent ?

Le maire, ou le commissaire de police, ou leur représentant, le parent ou son délégué, le fossoyeur de la commune sont présents ainsi qu'éventuellement le représentant des pompes funèbres avec un nouveau cercueil.

Qui choisit le jour et l'heure de l'exhumation ?

C'est vous, après l'obtention de l'autorisation. Vu le nombre de personnes à réunir, prévoyez un délai suffisant.

Sachez que les exhumations ont lieu, en principe, au petit matin.

Qui se charge des opérations de transfert ?

Si la commune a passé un accord avec une entreprise de pompes funèbres, vous devrez utiliser ses services. Dans le cas contraire, vous pouvez choisir l'entreprise de pompes funèbres que vous voulez.

Il existe une période intermédiaire de quatre ans pendant laquelle, pour des raisons d'hygiène, on ne peut procéder à l'exhumation. Celle-ci a donc lieu, soit dans l'année qui suit l'enterrement, soit au moins cinq ans plus tard.

Pourquoi prévoir un nouveau cercueil ?

Simplement parce qu'en fonction de la nature de la terre (humide ou sèche), le cercueil risque d'être en mauvais état et donc intransportable.

Quels sont les frais possibles ?

En principe, les représentants légaux (le maire et le commissaire de police) ont droit à des honoraires. Les fossoyeurs sont payés à l'heure.

M. Georges Bastien
18, rue Longuc
Attichy/Oise
60350 Cuise-La-Motte

à Monsieur le Maire
Berneuil s/Aisne
60350 Cuise-la-Motte

Objet :
Demande d'exhumation

Attichy, le 10 novembre 19..

Monsieur le Maire,

1 Je soussigné Georges Bastien, géomètre, domicilié à Attichy,
2 agissant en qualité de père d'Alexis Bastien ci-après désigné,
demande l'autorisation de faire procéder à l'exhumation du corps
3 d'Alexis Bastien, décédé le 30 mars 19.. inhumé le 2 avril, en vue
4 de faire procéder à sa réinhumation dans le caveau de famille
nouvellement construit.

5 Je m'engage à me soumettre aux prescriptions des règlements
de police et d'hygiène concernant les exhumations.

6 Je désigne dès à présent pour m'assister, dans le cas où je serais
moi-même empêché, Henri Bastien mon frère, oncle du défunt.

Recevez, Monsieur le Maire, mes salutations empressées.

Georges Bastien

P.J. : Copie du livret de famille.

RÈGLES DE LA LETTRE

FAMILLE ET AMIS

TRAVAIL ET EMPLOI

ARGENT ET IMPÔTS

JUSTICE

ADMINISTRATION

Demande d'allocation

Une allocation, ou prestation, est une somme versée au titre de la législation sociale. Dans de nombreux cas, vous pouvez être allocataire, c'est-à-dire bénéficier d'une allocation. Il faut pour cela, en faire la demande auprès de l'organisme concerné.

■■■ Présentation

Écrivez sur une feuille de format standard 21 × 29,7. N'envoyez que les photocopies des pièces justificatives.

■■■ Quel doit être le contenu de votre demande ?

1 Indiquez clairement vos nom, prénom et adresse.
2 Datez.
3 Exprimez avec précision le type d'allocation que vous désirez obtenir.
4 Signez.

■■■ Peut-on se renseigner directement ?

Oui, mais ne vous en tenez pas à une réponse que l'on pourrait vous faire au guichet. Faites une demande complète : formulaire rempli et pièces justificatives jointes.

■■■ Que faire si l'organisme ne répond pas ?

Si au bout d'un mois vous n'avez obtenu aucune réponse, vous pouvez adresser à l'organisme de tutelle une lettre expliquant votre première démarche.

☐ Pour les allocations familiales, adressez vos lettres à la Direction régionale des affaires sanitaires et sociales (DRASS).

☐ Pour les allocations chômage, adressez vos lettres à l'ASSEDIC, Association pour l'emploi dans l'industrie et le commerce. (L'adresse est donnée par l'ANPE.)

☐ Pour les allocations d'insertion, adressez vos lettres à la Direction départementale du travail.

Organismes	Allocations concernant la famille, l'enfant, le logement	Allocations concernant le travail, le chômage, la retraite
Caisse d'allocations familiales	Allocation parentale d'éducation Allocation familiale Complément familial Allocation rentrée scolaire Allocation éducation spécialisée Allocation adulte handicapé Allocation parent isolé Allocation soutien familial Allocation jeune enfant Allocation logement	
ASSEDIC		Allocation de base Allocation de base exceptionnelle Allocation d'insertion : jeunes, femmes, anciens détenus
Mairie	Revenu minimum d'insertion Allocation mère de famille Allocation militaire	Allocation vieux travailleurs salariés Allocation spéciale vieillesse Allocation de secours viager Allocation supplémentaire fonds national de solidarité

1 Roland Doumenc
24, bd Gambetta
46000 Cahors

Caisse d'Allocations Familiales
304, rue Victor-Hugo
46000 Cahors

2 Cahors, le 4 novembre 19..

Monsieur,

3 Je désire bénéficier de l'allocation parentale d'éducation. Pouvez-vous me faire parvenir les formulaires que je dois remplir, ainsi que la liste des pièces justificatives nécessaires ?

Avec mes remerciements anticipés, recevez, Monsieur, l'assurance de mes meilleurs sentiments.

4 Roland Doumenc

---

1 Raoul Héry
2, av. Henri-Barbusse
62100 Calais

Monsieur le Directeur
du Service du Fonds National
de Solidarité
Mairie de Calais
62100 Calais

2 Calais, le 15 mai 19..

Monsieur le Directeur,

3 Titulaire d'une pension d'invalidité depuis 6 mois, je ne reçois actuellement qu'une pension trimestrielle de 5 600 F.
Célibataire, sans enfant, je n'ai aucune autre ressource.
Je désirerais solliciter une allocation du Fonds National de Solidarité. Pourriez-vous, en conséquence, me faire parvenir les imprimés spécifiques à cette allocation ?
Avec mes remerciements, je vous prie de recevoir, Monsieur le Directeur, mes salutations distinguées.

4 Raoul Héry

RÈGLES DE LA LETTRE
FAMILLE ET AMIS
TRAVAIL ET EMPLOI
ARGENT ET IMPÔTS
JUSTICE
ADMINISTRATION

Lettre de réclamation à l'ASSEDIC

L'Association pour l'emploi dans l'industrie et le commerce est chargée de gérer les allocations chômage. En cas de problème, vous pouvez adresser à cet organisme une réclamation écrite.

▬ Présentation

Écrivez sur une feuille de format standard 21 × 29,7.
Gardez une copie de toute votre correspondance. Ces documents vous seront demandés en cas de requête en justice

▬ À qui adresser votre lettre ?

Écrivez au directeur de l'ASSEDIC de votre domicile. L'adresse vous sera fournie par l'ANPE.
Pour les allocations solidarité et insertion, vous devez adresser votre réclamation à l'organisme de tutelle : la Direction départementale du travail et de l'emploi.

▬ Quel doit être le contenu de votre lettre ?

1 Indiquez vos nom, prénoms, adresse et date de naissance (ou âge), éventuellement votre numéro de référence ou d'inscription.
2 Précisez votre date d'inscription à l'ANPE, éventuellement les dates de vos interventions auprès des organismes concernés par votre réclamation.
3 Rappelez votre situation :
« Demandeur d'emploi depuis... »,
« Bénéficiaire de l'allocation... ».
4 Dites la décision prise à votre encontre.
5 Expliquez pourquoi vous contestez cette décision.
6 Datez et signez.
7 Joignez la copie de tous les documents et lettres concernant la réclamation.

▬ De quels délais disposez-vous pour contester ?

Parfois de 8 à 15 jours mais, surtout, faites votre lettre de réclamation le plus tôt possible. Si vous n'obtenez pas de réponse au bout d'un mois, ou si la réponse ne vous satisfait pas, vous pouvez adresser une lettre de réclamation à la Commission paritaire de l'ASSEDIC.

☐ Vous pouvez également intervenir auprès de l'UNEDIC : 77, rue de Miromesnil 75003 Paris.

☐ En dernier recours, vous pouvez déposer une requête, ou demande, auprès du tribunal de grande instance de votre circonscription.

▬ Réclamez avec courtoisie

Pour obtenir ce que vous désirez : il est préférable de faire sentir à votre interlocuteur que vous le respectez. Soignez particulièrement la formule d'appel, le début de la lettre et la formule de politesse.

☐ Réclamez en pensant à une progression dans la formulation de vos réclamations (dont vous aurez gardé les doubles et dont vous mentionnerez les envois). Par exemple :
1re réclamation : « Je me permets de... »
2e réclamation : « Je m'étonne de... »
3e réclamation : « Je suis vivement surpris de... »

☐ Votre mode d'expédition peut signifier le degré de votre mécontentement : après la lettre simple, utilisez la lettre recommandée avec accusé de réception.
Dans tous les cas, restez poli et sachez que vous n'obtiendrez rien par des injures.

MODÈLE DE LETTRE

Hervé Vialatti
28, place de la République
1 24108 Bergerac

2 Référence : A 22 CAF
Date d'inscription à
l'ANPE : 12.02.19..

Objet :
Réclamation de l'allocation
de base exceptionnelle.

Monsieur le Directeur
de l'ASSEDIC
123, rue Valatte
24100 Bergerac

Bergerac, le 4 juillet 19..

Monsieur le Directeur,

3 Âgé de 18 ans, je viens d'obtenir le Brevet de technicien. Par
4 lettre du 28 juin 19.., vous indiquez que vous ne pouvez pas me
prendre en charge au titre de l'allocation de base. Cependant,
5 j'ai exercé une activité salariée pendant quatre mois ; en
conséquence, je peux prétendre à une allocation de base
exceptionnelle.

Avec l'espoir que vous réviserez mon dossier de façon favorable,
je vous prie d'agréer, Monsieur le Directeur, l'expression de mes
sincères salutations.

6 Hervé Vialatti

7 P.J. Copie de votre lettre du 28.06.19..

RÈGLES DE LA LETTRE
FAMILLE ET AMIS
TRAVAIL ET EMPLOI
ARGENT ET IMPÔTS
JUSTICE
ADMINISTRATION

Lettre de réclamation à un service social

Si une difficulté, un oubli ou un problème survient avec l'un des services dont on reçoit des prestations (remboursement, indemnités, etc.), on peut rédiger une lettre de réclamation.

■■■ Présentation

Écrivez sur une feuille de format standard 21 × 29,7. Envoyez votre réclamation par lettre recommandée avec accusé de réception.

■■■ À quel organisme adresser votre réclamation ?

À la Caisse primaire d'assurance sociale, pour les problèmes concernant la Sécurité sociale.
À la Caisse régionale d'assurance sociale, pour les problèmes concernant la retraite.
Aux Allocations familiales, pour tout problème concernant les allocations.

■■■ Quel doit être le contenu de votre lettre ?

1 Indiquez vos noms, nom de jeune fille pour les femmes mariées, prénom et adresse.
2 Précisez vos numéros de référence. Selon le cas : numéro d'immatriculation à la Sécurité sociale, numéro d'allocataire...
3 Dites de quelle prestation il s'agit.
4 Datez.
5 Expliquez clairement, mais brièvement, votre cas : « J'ai reçu une notification m'indiquant la suppression de l'allocation logement... ».
6 Exposez le problème en une phrase.
7 Demandez un examen du dossier.
8 Signez.

■■■ Que faire si la réponse à votre lettre ne vous satisfait pas ?

☐ S'il s'agit d'une réponse d'ordre administratif : dans les deux mois qui suivent la réponse de la caisse, vous pouvez envoyer une réclamation, par lettre recommandée, devant la Commission de recours amiable qui siège dans chaque caisse.

Modèle
Lettre de demande de recours à la Commission régionale de recours amiable à envoyer en recommandé avec A.R.

> Ma demande de révision du montant de mes indemnités journalières faite le 20 avril 19.. à été refusée par la Caisse d'assurance maladie de Cahors.
> Or, je conteste cette décision et désire que cette demande soit réexaminée par la Commission de recours amiable.
> Veuillez trouver ci-joint copie de tous les documents concernant ce dossier.
> Dans l'attente de votre réponse, je vous pris d'agréer, Monsieur, l'expression de mes sentiments distingués.

☐ S'il s'agit d'une réponse d'ordre médical : dans le mois qui suit la réponse de la caisse, vous pouvez réclamer, par lettre recommandée, une expertise médicale.

■■■ Que faire si votre problème n'est toujours pas résolu après vos démarches ?

Vous pouvez vous adresser au tribunal des affaires de Sécurité sociale dans un délai de 2 mois, par lettre recommandée, en expliquant clairement votre problème et les démarches déjà effectuées. Vous serez alors convoqué par le tribunal, qui étudiera votre cas. Vous pouvez vous faire représenter par un avocat.
En cas de désaccord, et si le montant du litige est supérieur à une certaine somme, vous pouvez saisir la cour d'appel dans un délai d'un mois.
Cette procédure est gratuite, sauf si vous prenez un avocat. Cependant, selon vos revenus, vous pouvez bénéficier de l'aide judiciaire (voir p. 114).

MODÈLE DE LETTRE

[1] Monique Legay
18, rue Joséphine
27022 Évreux

Monsieur le Directeur
de la Caisse Primaire
d'Assurance Maladie
11, rue de l'Horloge
27000 Évreux

Lettre recommandée avec A.R.

[2] Référence :
N°. S.S.2.66.04.27.120.010

[3] Objet : Feuille de soins,
envoyée le 14.06.19..

[4] Évreux, le 12.09.19..

Monsieur le Directeur,

[5] Voici trois mois que j'ai fait parvenir à la Caisse primaire
d'assurance maladie une feuille de soins, en vue de son
[6] remboursement. Or, à ce jour, je n'ai toujours pas obtenu le
remboursement de ces frais médicaux.

[7] Pourriez-vous réexaminer mon dossier afin de procéder à son
règlement ?

Dans cette attente, je vous prie de recevoir, Monsieur le
Directeur, l'assurance de mes sentiments distingués.

[8] Monique Legay

P.J. (2) :
- Photocopie de ma carte d'immatriculation.
- Photocopie du double de l'ordonnance et de la feuille de soins
concernée.

RÈGLES DE LA LETTRE
FAMILLE ET AMIS
TRAVAIL ET EMPLOI
ARGENT ET IMPÔTS
JUSTICE
ADMINISTRATION

Demande d'installation du téléphone

La demande d'abonnement et de location de postes téléphoniques s'effectue auprès de l'agence des télécommunications de sa circonscription.

Présentation

Écrivez sur une feuille de format standard 21 × 29,7. Une seule personne par foyer, le titulaire, peut contracter un abonnement téléphonique.

À qui adresser votre lettre ?

Vous devez vous adresser à l'agence des télécommunications la plus proche de votre domicile. Les agences fonctionnent par circonscription de taxes téléphoniques. Rendez-vous dans un bureau de poste, ou faites appel à un voisin ayant le téléphone, pour consulter un annuaire de votre département. Les adresses des agences de télécommunications sont mentionnées dans le guide des pages jaunes.

Quel doit être le contenu de votre lettre ?

1 Indiquez vos nom, prénom, adresse, en haut et à gauche de la feuille. Votre adresse doit être très précise (numéro de l'immeuble, étage, numéro de l'appartement).

2 Formulez votre demande : « Je désire souscrire un abonnement téléphonique... ».

3 Précisez si cela n'apparaît pas clairement dans votre adresse, si vous habitez dans un pavillon, ou dans un immeuble.

4 Précisez également si votre habitation possède une prise de raccordement au réseau et un téléphone.

5 Dites combien de prises et de postes téléphoniques vous désirez.

6 Proposez un rendez-vous pour l'installation aux jours et heures où vous serez sûr d'être chez vous. Sachez que les installateurs ne viendront qu'entre 8 heures et 12 heures, et 13 heures et 18 heures, du lundi au vendredi.

7 Si vous êtes plusieurs personnes à habiter sous le même toit, vous pourrez faire apparaître chacune d'elles dans l'annuaire.

Quels sont les délais à prévoir pour l'installation du téléphone ?

À compter de la réception de votre demande :
- environ 8 jours si vous n'avez aucune installation téléphonique ;
- 48 heures si vous avez déjà une prise de raccordement, et si la ligne n'a pas été interrompue plus de 2 mois.

Comment serez-vous prévenu de la venue de l'installateur ?

Vous serez averti par un avis récapitulatif de votre demande, précisant la demi-journée durant laquelle l'installateur viendra.

Peut-on choisir le modèle de son poste téléphonique ?

Pour savoir quels sont les différents modèles existants, et le coût de leur location, vous pouvez demander une documentation gratuite à l'agence des télécommunications avant de faire votre demande d'installation du téléphone.

Si, dans cette demande, vous n'apportez aucune précision sur le modèle que vous désirez, on vous installera un poste téléphonique standard.

Enfin, sachez que vous pouvez aussi acheter des postes dans le commerce.

Vérifiez qu'ils soient agréés par France Télécom.

1 Mlle Sylvie Roger
148, bd de la République
59700 Marcq-en-Barœul

Agence Commerciale
des Télécommunications
6, rue de la Liberté
59700 Marcq-en-Barœul

Marcq-en-Barœul,
le 12 décembre 19..

Monsieur,

2 Je désire souscrire un abonnement téléphonique principal
3 ordinaire. J'habite un pavillon qui ne possède aucune prise de
4 raccordement au réseau téléphonique.

5 J'aimerais disposer de deux prises et d'un poste standard à
touches de couleur beige.

6 Je serai présente pour accueillir vos services le jeudi matin de
9 heures à 12 heures, et le mercredi toute la journée.

7 Je vous signale par ailleurs que j'habite avec M. Gérard Ditters,
qui aimerait également apparaître, à son nom, dans l'annuaire.

Dans l'attente de votre réponse et avec mes remerciements, je
vous prie d'agréer, Monsieur, mes salutations distinguées.

Sylvie Roger

RÈGLES DE LA LETTRE
FAMILLE ET AMIS
TRAVAIL ET EMPLOI
ARGENT ET IMPÔTS
JUSTICE
ADMINISTRATION

Modifier un abonnement téléphonique

Quel que soit le genre de modification que vous désirez apporter à votre abonnement téléphonique, il est toujours préférable de rédiger un courrier.

■■■ Présentation

Écrivez sur une feuille blanche de format standard 21 × 29,7. Envoyez votre lettre par courrier simple.

■■■ À qui adresser votre lettre ?

À l'agence commerciale des télécommunications. Son adresse figure au bas de votre facture bimestrielle.

■■■ Quel doit être le contenu de votre lettre ?

1 Indiquez vos nom, prénom, adresse complète et votre numéro de téléphone. Soyez le plus précis possible, car certaines lettres parviennent à l'agence sans les renseignements nécessaires.

2 Formulez de manière claire votre demande : « Je désire résilier mon abonnement..., Je désire interrompre ma ligne, etc. ».

3 Précisez à quelle date la modification doit se faire.

4 Vous pouvez, si vous le désirez, exprimer vos motifs. Ce n'est pas obligatoire.

5 Signez votre lettre.

Modification demandée	Cas	Frais	Délai	Pièces à joindre
Modifier le nom du titulaire (1)	divorce	non	immédiat	Fiche d'état civil Extrait du jugement de divorce Lettre de désistement du conjoint
	décès	non	immédiat	Fiche d'état civil ou acte de décès
Changer de numéro d'appel	avec service supplémentaire	oui	48 heures	
	sans service supplémentaire	non	48 heures	
Se mettre sur la liste rouge	—	oui	1 semaine	
Interrompre sa ligne entre 8 jours et 6 mois	—	oui	24 heures	
Résilier son abonnement	—	oui (2)	7 jours	

1. Vous pouvez à tout moment demander à faire apparaître dans l'annuaire le nom d'une personne cohabitant avec vous. Ce service est gratuit et ne constitue pas une modification d'abonnement.

2. Si l'abonnement date de moins d'un an, vous payerez l'abonnement pour l'année entière.

MODÈLE DE LETTRE

1 Odile Garaud
48, avenue des États-Unis
78000 Versailles
Tél. : 47.88.29.21

Agence Commerciale
des Télécommunications
3, rue Carnot
78000 Versailles

Versailles, le 4 avril 19..

Monsieur,

2 Je désire modifier le nom du titulaire, ainsi que le numéro de la
ligne téléphonique de mon domicile. La ligne est au nom de
Mario Garibal dont je suis divorcée. Je vous remercie d'effectuer
3 cette modification à réception de cette lettre.
Une fois ces modifications effectuées, je vous serai
4 reconnaissante de porter mon nouveau numéro sur la liste rouge,
car je ne tiens pas à figurer dans l'annuaire.

Avec mes remerciements, veuillez agréer, Monsieur, l'expression
de mes sentiments les meilleurs.

5 Odile Garaud

P.J. (3) :
- Une fiche d'état civil.
- Une photocopie de l'extrait de jugement de divorce.
- Une lettre de désistement de mon ex-époux.

153

RÈGLES DE LA LETTRE

FAMILLE ET AMIS

TRAVAIL ET EMPLOI

ARGENT ET IMPÔTS

JUSTICE

ADMINISTRATION

Formalités lors d'un déménagement

Afin de simplifier les démarches futures, il est préférable d'avertir de son départ les différents organismes dont on dépend. De même, on doit signaler son arrivée aux organismes dont on va dépendre.

▰▰▰ Présentation

Écrivez sur une feuille de format standard 21 × 29,7 ou remplissez un formulaire. Précisez vos nom, prénom, votre adresse actuelle et votre future adresse.

▰▰▰ Quel doit être le contenu de votre lettre ?

1 Indiquez vos références selon les organismes concernés : numéro de compte en banque, numéro de Sécurité sociale, numéro de référence aux impôts...

2 La date à laquelle vous déménagez.

Quels sont les organismes à prévenir ?	Que faire à votre ancienne adresse ?	Que faire à votre nouvelle adresse ?
Impôts locaux	Prévenir de votre départ.	
Inspection des impôts sur le revenu (C.D.I.)	Signaler votre changement d'adresse.	La 1re année vous recevrez votre déclaration pré-identifiée à votre ancienne adresse. Modifiez l'adresse et renvoyez-la à votre ancien C.D.I.
Perception des impôts	Signaler votre changement d'adresse.	
Banque et Assurances	Demander le transfert de vos comptes et dossiers.	Prendre contact dès votre arrivée.
Préfecture Commissariat		Faire modifier : votre passeport votre carte d'identité.
Carte grise si vous avez changé de département	Demander une attestation de non-gage à la préfecture.	Faire une demande d'immatriculation dans le mois de votre arrivée.
Carte d'électeur		Vous inscrire à la mairie.
EDF-GDF	Faire relever votre compteur.	Faire relever le compteur de vos prédécesseurs.
Sécurité sociale	Signaler votre départ à votre caisse.	L'employeur se chargera de vous inscrire.
Téléphone	Prévenir 2 mois avant.	
Poste	Remplir le formulaire de demande de réexpédition définitive + joindre un chèque.	

MODÈLE DE LETTRE

Christine Kélifa
24, rue Nicolas-Lebègne
02000 Laon

Centre des Impôts
Cité Administrative
02016 Laon Cedex

Objet : Changement d'adresse

1 Référence : 02.210.014.19..

Laon, le 1 juin 19..

Monsieur,

2 Je ne résiderai plus à LAON, 24 rue Nicolas-Lebègne, à partir du 30 juin 19..

Voici ma nouvelle adresse :
15, avenue du Colonel-Teyssier
81000 Albi

Je compte sur votre diligence pour effectuer le transfert des dossiers me concernant, au Centre des Impôts d'Albi :
209, rue du Roc - 81014 Albi Cedex.

Je vous prie de croire, Monsieur, à l'expression de mes sentiments les meilleurs.

Christine Kelifa

RÈGLES DE LA LETTRE

FAMILLE ET AMIS

TRAVAIL ET EMPLOI

ARGENT ET IMPÔTS

JUSTICE

ADMINISTRATION

Formalités lors d'un décès

Un décès est un moment douloureux et difficile. À la tristesse s'ajoutent la complexité et l'embarras des formalités qu'impose le législateur. Certains organismes doivent être avertis par lettre.

■■■ Présentation

Écrivez sur une feuille de format standard 21 × 29,7 ou sur un formulaire, selon les cas. Envoyez votre courrier en lettre simple.

■■■ Comment faire établir un acte de décès ?

Un proche du défunt, même mineur, doit se rendre à la mairie du lieu de décès, dans un délai de 24 heures. Il fait établir une déclaration de décès et un acte de décès qui sera signé par le proche parent qui a entamé la démarche.

■■■ Que faire lorsque l'on reçoit un avis d'imposition du défunt ?

Vous devez transmettre cet avis au notaire chargé de la succession. Le montant de l'impôt sera déduit de la succession.

■■■ Que doivent toujours contenir les lettres envoyées ?

1 Vos nom, prénom et adresse.
2 Les références éventuelles du défunt (numéro de Sécurité sociale, de code particulier, de compte, etc).
3 La date.
4 Le nom du défunt et vos liens familiaux.
5 La date de son décès.
6 Votre signature.

Quels sont les organismes à prévenir ?	Que faut-il faire ?	Quelles sont les pièces à joindre ?
Perception Impôts sur le revenu et impôts locaux	Signaler l'identité du défunt. Préciser vos nom et adresse et votre lien de parenté.	- Une copie de l'extrait d'acte de décès - Un formulaire de déclaration de revenu de l'année précédente, où l'on déclare les revenus du défunt depuis le 1er janvier de l'année en cours. Délai : avant 6 mois.
Impôts locaux	Signaler le changement d'occupant des lieux.	Une copie de l'extrait d'acte de décès.
Sécurité sociale	Remplir le formulaire de demande de capital-décès.	- Une copie de l'extrait de l'acte de décès. - Une fiche d'état civil, faisant état de votre lien de parenté avec l'assuré. - Un justificatif des revenus de la personne décédée (salaires, pensions, indemnités de chômage...). Délai : avant 1 mois.
Caisse de retraite	- Le conjoint ou ex-conjoint (non remarié) de plus de 55 ans remplit le formulaire « demande de pension de reversion ». - Le conjoint de moins de 55 ans, vivant seul, ayant eu au moins un enfant et remplissant certaines conditions de revenus, doit compléter le formulaire « demande d'allocation veuvage ».	- Une copie de l'acte de naissance du défunt où sont inscrits le ou les mariages. Délai : avant 1 an. - Une fiche familiale d'état civil. Délai : avant 1 an.

1 Vincent Portet
14 rue Labistour
09000 Foix

Centre des Impôts
13 Place du 59 R.I.
09007 FOIX Cedex

2 Référence :
n° 09.141..006.19..

3 Foix, le 3 juillet 19..

Monsieur,

4 Je vous informe que mon père, André PORTET, est décédé
5 le 25 juin dernier.

En conséquence, je vous joins, par ce même courrier, la
déclaration de ses revenus depuis le 1er janvier.

Recevez, Monsieur, mes sincères salutations.

6 Vincent Portet

P.J. (2) : - Déclaration de revenu
　　　　　 - Copie de l'extrait d'acte de décès

Index

Édition : Michèle Vial
Coordination artistique : Danielle Capellazzi
Maquette : Studio Primart-Ulrich Meyer
Illustration de couverture : Pascal Pinet
Photocomposition Photogravure : Compo 2000 - Saint-Lô

N° d'éditeur 10026335 - (V) - 27 - (OSBV) - 80 - C2000 - Janvier 1995
Imprimerie Jean-Lamour, 54320 Maxéville - N° 95010060